給讀者的祝福

朋友：

在漫漫的人生中，

您追求的是什麼？

您的家庭平安嗎？

您的身體健康嗎？

您的事業順利嗎？

您的兒孫孝順嗎？

……

這一切的順逆，您認爲是命中註定呢？還是我們出生後人爲的因素？是永無翻轉的呢？還是有扭轉乾坤的妙藥良方？只要您有福緣將本書「看完」，您便能了解自己的壽夭窮通從何而來；您更可積極的掌握住您未來的動向——福祿壽喜，德蔭子孫，來去自如。

本書爲何有此宏效？實因本書是由醫學、生理學、科學、營養學、人類學、婦幼衞生，以及各種宗教……等多重論點，旣客觀又理性的與您溝通一些「素食」的觀念。尤其可貴之處，乃在所錄用之資料是最新、最寶貴、最中肯的；在編纂上又能有條理、有系統的引領著讀者對素食建立起正知正見。縱使擇要觀之，亦能篇篇各切宗旨。若能全書閱畢，更能體會其理事圓融的特色。此乃天華同仁在丙寅之始，獻給讀者的第一部好書。但願晨鐘響起戒殺之音，免去法界含識屠苦，您我箸下放生，更植無邊勝福。在此禱祝您能從中得到最大的善利——健康、長壽、子孝孫賢、福祿綿延。

天華出版公司編輯部　謹啓

新編素食・健康・長壽

目次

第一章 獻給談癌色變者

一·肉食、血質與癌症

(一) 酸性血質是癌細胞的溫床

吸煙可導致肺癌，雖尚未達到百分之百的定論；但吸量過多，却不可不警惕。本來，不僅過量的吸煙會有損於健康；即使偏於米食，嗜於肉類，耽於醇酒，都會影響到正常生理的機能，這本是些保健的常識。但講究「口福」的文明人類，却嗜好能興奮味覺的食品，於不知不覺中作過量的攝取，最後竟趨於慢性自殺之途。

對於癌之防治，其前題應不使癌的種子於身體中發育。美國外科名醫喬治·克萊爾博士於其「癌，割不得」論文中曾說：「植物的種子落在河流裏，隨水漂去。它漂流到著地的那個處所，可能是塊肥沃的田壤，也可能是塊偏佈砂礫的荒漠。因此，種子的生殖與滅亡的命運，是由其所著地的肥瘠而決定。那麼，在這種情形下，假使你不願種子繁殖，你是應該恐懼種子的生長呢？還是應該顧慮那塊肥沃的田地？……」

這裏不去探究癌的繁雜理論，僅擧些東西學者的經驗論斷，已儘可使我們警悟與解除疑慮了。據各國癌症專家們最新的研究，他們判定癌的種子乃是一種濾過性病原體 Virus。這種病原體其體積之小，非用電子顯微鏡是不能看到的。它隨時可侵入健康人的身體待機而發。按其特性，它若不能滲入細胞內，卽無法繁殖；但一入於細胞，那就麻煩了。

健全而有活力的細胞，是不容許這種病原體侵入的；但是細胞老化病弱時，便無能防禦病原體的入侵——癌症產生的問題癥結所在。已故的日本大阪大學片瀨淡教授於其病理學中曾說：血液作酸性 Acidosis 反應時，細胞卽行老化，因而細胞中的鎂 Magnesium 吐出，使血液中氾濫了鎂的成分。那種「病的多鹼症狀」Alkoloid，可稱爲是發生癌症的重要條件。嗣後爲證實這種學說，日本東京都立衞生試驗所的柳澤文正博士作癌的研究，曾自百名癌患者抽血化驗，都是呈現鎂的反應，且對生理有重要作用的鈣 Calcium 減少而鎂劇增。那種試驗例證竟是百分之百爲同樣現象。

血液成了酸性，血中的鈣爲了中和酸性而被消耗，其量卽行遞減。鈣在細胞中的功能是保持細胞的滲透壓，由於鈣量的減少，滲透壓卽發生了異變，鎂乃自細胞中脫出，細胞本身卽呈老化。這時用電子顯微鏡觀察時，病原體附著於老化細胞的皺壁中，而作物理性的侵入，再與細胞內的細胞核結合，使細胞發生突然異變，而成爲癌的現象。

以這種學說爲根據，要使癌的生成條件不完備時，則應使血液保持正常的鹼性Alkalosis。因此對酸性食物，如白米、肉類、卵、糖以及酒的攝取，應存有戒懼，否則血液由酸而濁，這種現象對癌來說，是爲它準備好了一塊肥沃的田地，種子一來時卽會發育滋長的。

㈡　鹼性血質是抗癌的利器

日本國立公衆衛生院的平山雄博士於一次學會上曾發表：如每日能飲鮮牛乳三杯（約合五五〇西西），卽可免於生癌。據他的統計，日飲牛乳一杯（約合一八〇西西）至二杯者，尚有百分之三的發癌率；但日飲兩杯以上者則能對癌作完全的預防。其理由是因牛乳中含有多量的鈣質，而使血液保持正常的鹼性。癌症是於血液作酸性反應時才開始發作的。根據這種道理，如經常服用鈣劑亦有防癌之效。但鈣爲無機礦物質，服入胃中不能卽行發生效力，得藉著體內的維他命D與K經過一段複雜電解過程，才產生出鈣離子 Ion Calcium，始於人體中發生有機效能。維他命D來自太陽的紫外線，維他命K的來源是腸內的細菌及綠葉的蔬菜，故吾人須經常實行日光浴及蔬食主義，才能使鈣發生其作用。

二次大戰後，有一部分學者推崇蛋白質的營養價值，各國流行著熱量 Calorie 萬能的營養論，因而風行講究肉食。但與此肉食主義成正比例的是癌的發生率也隨之提高。肉、卵、魚、白砂糖、酒等，固然食入體內能發生高熱量，却都爲酸性食品。試觀社會上的現象，到了老年期的人們，美食家病多，而粗食者病少；其原因卽美食多屬酸性食品，而粗食食品則多爲鹼性。

㈢ 抗癌的飲食——蔬食

癌種子易於繁殖的對象，是偏食肉、卵及酸性食品的患者。普通以爲滋補患者，可使其能抗拒癌的攻擊；其實，患者如果食用這些滋補的動物性食品，會使其血液成爲酸性，而癌細胞反得以逞其惡魔般的猛威。反之，如將體內的酸性血液追出，而多攝取蔬果，造成鹼性血液，則癌的營養失調，卽可壓制其繁殖。這樣再予以藥物的攻擊，癌細胞呈現脆弱而易於撲滅。但有些忽視這種原理的醫師，却在講求癌患者的營養，愈是進補愈是肥腴了癌細胞繁殖的田壤；因此，雖認爲有效的藥物却不能將癌撲滅。

日本片瀨博士所遺下的論文結語曾說：「萬病的發生是由於一元酸性的血液。」自然，癌症也不能例外。

聖經中的記載：當巴比倫國王奈佈喀奈撒苦於病魔時，由神的指示，乃如牛吃青草般地儘量服食蔬菜而得痊癒——美國神學博士安娜・維格毛亞女士，由這段聖經的啓示而開始研究野草。她發現小麥的青苗中含有很多的營養素，乃用麥苗作成青汁令嚴重的癌患者每日飲服四杯，竟出現奇蹟使病自行痊癒。她曾作過這種醫療發表。按麥苗中並不含有什麼治癌劑，而是將肉食停止，給與這種偏鹼性並含有豐富維他命的青汁，使血液由酸性變爲鹼性，這樣卽可阻止癌細胞的繁殖。

由上可知，癌症並不可怕，可怕的是我們日常飲食中，攝取了太多的「酸性食物」——肉類、卵、糖、酒及海產……，使我們的血液變成酸性，而成為癌細胞侵入、生長的最佳環境。因此，只要我們能實施蔬食、粗食，使我們的血液變成鹼性，那麼「癌」這可怕的東西，便與我們無緣了。

二·戰勝癌症的最新理論

儘管癌症會隨國家、種族、地域、飲食或種種不同的致癌物質而有不同的發病率；但是許多研究實驗的結果，愈來愈支持「飲食治療」的可行性。

在美國民間的食療方法甚爲盛行，食療多以素食爲主，以減少致癌物繼續進入人體的機會。食療爲何有效並受到若干人士的歡迎呢?就是利用飲食的攝取，提高人體細胞內的含鉀量，使癌細胞消失而變成正常的細胞。

發現鉀和鈉的攝取量，會影響癌症發展的理論者是美國德州大學安德森醫院的Jansson博士。他發現在紐約附近的一個小鎭名叫Seneca，其各種癌症人數都低於鄰鎭，經研究才知道該鎭有一大湖，湖水中鉀的含量大大高於他鎭。他又發現伊朗某些地區的食道癌患者特別多，而這些地區的人多數以麵爲主食，他們在麵中添加了鹽，鈉的攝取量因此提高；食道癌低的地方則多米食，米食不必加鹽，鈉的攝取量就減少。

Jansson博士又將全世界二十個國家的資料作分析，結果發現凡攝取多量鉀的地區，其患癌人數卽降低。又發現凡年齡大者，身體中已有的鉀卽易從細胞膜漏出，一般細胞內含鉀量，常是鈉的十倍。細胞在分裂（增殖）的情況下，鉀對鈉的比例減少；癌細胞也是如此，細胞受傷時鉀漏出則癌細胞立刻開始繁殖；老年人患癌的機會增加，也是因爲細胞中鉀的含量減少之故。慢性病的患者，細胞中的鉀量如果增多，致癌的可能也較少。

細胞學的研究上發現，有些癌細胞如果在它的培養液中增加了鉀，它會突然變成正常細胞。下面是一實例：老鼠的血癌細胞，本來不能造血，但將其培養液中的鉀提高到十倍以上時，卽出現有造血現象。由此證明鉀鈉比例對癌細胞的形成有密切的關係。

爲什麼一再强調鉀鈉關係呢？因爲它不僅涉及癌症，也與高血壓、心臟病和糖尿病等有關。從實驗中顯示，心臟病及高血壓病人食物中多加鹽分，則血壓會上升，添加鉀之後，血壓會降低。因此，只是少吃鹽還不够，必須同時增加鉀的攝取。

鈉在食鹽和味精中含量很高，鉀在蔬菜和豆類中很豐富。食療法就是運用鉀鈉的增減來治療癌症。

糖尿病普通係因胰臟功能減低，致 Insulin（胰島素）的分泌不足。而 Insulin 的分泌，又受鉀的影響。鉀多時即刺激其分泌，所以鉀的攝取不足，也可能是糖尿病原因之一。

後頁表列食物的鉀鈉含量比值，是美國農業部發表的。其中含鉀豐富，即鉀多鈉少（鉀鈉的比值大）的食物，多爲天然蔬菜水果，以大豆粉的比值 830 爲最高，其次如棗、胡桃、香蕉、南瓜…等也都很高，是具有抗癌功能的飲食羣。而動物性食品及人工製品，如糖果、餅乾、罐頭、麵包、燻肉等，均爲鉀少鈉多比值在一以下，是不利癌症病人的食品。

含鉀豐富的食物

Potassium-Packed Foods

		鉀 Potassium mg/lb.	鈉 Sodium mg/lb.	鉀鈉比例 Ratio K/Na
杏	Apricot	1198	4	300
香蕉	Banana	1141	3	380
棗	Dates	2939	5	588
甜橙	Orange	662	3	221
桃	Peach	797	4	199
藨莓,覆盆子	Raspberries	876	4	219
杏仁	Almonds	3506	18	195
蘇木	Brazil	3243	5	649
榛子	Filbert	3193	9	355
大胡桃	Pecan	2735	Trace	>500
玉米粉	Corn Meal	1125	5	225
黑麥穀粒	Rye, Whole Grain	2118	5.1	423
麥胚芽	Wheat Germ	3751	14	268
南瓜	Pumpkin	1080	3	360
夏南瓜	Squash, Summer	889	4	222
冬南瓜	Winter	1189	3	396
白胡桃南瓜	Butternut	1546	3	515
成熟萊豆	Lima, Mature	6936	18	385
大豆	Soybeans	7607	23	331
大豆粉	Powder	4150	5	830

含鉀量少的食物

Potassium-Poor Foods

		鉀 Potassium mg/lb.	鈉 Sodium mg/lb.	鉀鈉比例 Ratio K/Na
餅乾（英）小甜麵包(美)	Biscuit	290	2994	<0.1
白麵包	Bread, White	386	2300	0.2
全麥麵包	Whole, Wheat	1238	2390	0.5
丹麥圓麵包	Roll, Danish	508	1660	0.3
罐裝玉米	Corn, Canned	440	1070	0.4
青橄欖	Olives, Green	132	5770	<0.1
罐裝豌豆	Peas, Canned	435	1070	0.4
醃燻豬肉	Bacon	590	3084	0.2
豬火腿	Pork, Ham	1542	4990	0.3
冷切臘腸	Sausages, Cold Cuts	1043	5897	0.2
魚子醬	Cavier	816	9979	<0.1
龍蝦	Lobster	816	953	0.9
罐裝鮪魚	Tuna, Canned	1365	3629	0.4
乾酪	Cheeses	372	3175	0.1
一般蛋糕	Cake, Plain	358	1361	0.3
糖菓	Candy	9	299	<0.1
撒鹽餅乾	Crackers, Saltines	544	4990	0.1
什錦餅乾	Cookies, Assorted	304	1656	0.2
蘋果餅	Pies, Apple	363	1365	0.3

第二章 人類與素食

一・各類動物的食性

任何動物的飲食必然與他的生理結構有關。人類的生理結構與消化系統是完全不同於那些肉食動物的。我們現在按照飲食習慣，將脊椎動物分成如下三類：肉食動物、草食動物與果食動物。我們仔細地看看人類到底適合於哪類食物。

㈠肉食動物

肉食動物，包括獅子、狗、狼、貓等，都具有許多顯著的特徵，使牠們在動物王國中與其他動物有所不同。牠們的消化系統都是非常簡單而短——只有身體長度的三倍。這是因爲肉類腐敗得很快，而假使這些腐敗物在體內停留太久將會毒化血液。所以牠們就演化出較短的消化管道，以便排除腐敗的肉類所產生的細菌，並且牠們的胃部所積聚的胃酸，是非肉食動物的十倍。

肉食動物大多在涼爽的夜晚出外獵食，而在白天睡覺，所以牠們不需要汗腺來散發體熱。因此牠們是由舌頭，而非皮膚來散發熱度。而素食動物，譬如牛、馬、斑馬、鹿等等，把大多數的時間花在太陽下去尋找食物，並且經由皮膚蒸發以疏散體熱。但是肉食者與素食者之間最大的差異乃在於牠們的牙齒。所有的肉食動物，除了利爪之外，主要是靠牙齒來捕殺其他動物。牠們以强有力的下巴，尖銳而突出的犬齒去撕裂肉塊。而素食動物用來磨碎食物的臼齒，牠們却沒有。肉類與穀類不同之處，就在於肉類不需在口中多加咀嚼，先消化一部份。它大多在胃與腸中消化就可以了。譬如說，一隻貓就幾乎完全不懂如何咀嚼食物。

(二) 草食動物

以吃草葉爲生的動物（大象、牛、羊、駱馬等），牠們所吃的青草、葉子與其他植物，大多是粗糙而大量。這類食物在口中以唾液中所含的酵素和唾液素先行開始消化。這類食物必須經過適當的咀嚼，並且與唾液素完全混合才能將其分解。爲了這個緣故，草食動物擁有二十四顆臼齒，在口中將食物細細的磨碎，這是不同於肉食動物吞食的動作。牠們沒有利爪與利齒，牠們把水吸到口裡，不像肉食動物用舌頭去舐。由於牠們不吃迅速腐敗的食物，並且牠們的食物可在消化管道內停留較長的時間，所以牠們擁有較長的消化系統——牠們的腸子是身體的十倍長。更有趣的是，近代的研究得到的結論，肉食對於這些草食動物竟然有極大的傷害。柯林博士，一位在紐約傷殘醫療中心工作的科學家發現：「肉食動物，幾乎有無限的能力，可以控制飽和脂肪與膽固醇。」如果每天把半磅的動物脂肪給小白兔吃，兩個月以後，牠將會血管硬化。人類的消化系統，和小白兔是一樣的，在構造上並不適合消化肉類。所以他們若是吃越多肉則越有可能生病。

㈢果食動物

這些動物的主體是——類人猿。這些猿猴是以水果與堅果爲主食。牠們的皮膚上有數百萬的毛孔以供流汗之用，牠們也用臼齒來磨碎咀嚼食物。牠們的唾液是鹼性的，並且，就像草食動物一樣，牠有唾液素以事先消化食物。牠們的腸子旋繞得很多圈，並且是身體長度的十二倍，以便慢慢消化水果與蔬菜。

二・人應該吃什麼？

人類消化系統的特徵在各方面都與果食動物極爲相像，與草食動物也很相似，但是與肉食動物却極爲不同。這在後面的表中可以很明顯地顯示出來。人類的消化系統、牙齒、下巴結構與身體的功能，與肉食動物完全不同。而且類人猿、人類的消化系統是背脊的十二倍長；我們的皮膚有數百萬的小毛孔可以蒸發水分，流汗以減少體熱。像所有其他的素食動物一樣，我們以吸吮的方式喝水。我們的牙齒與下巴結構適合於素食，我們的唾液是鹼性，並且含有澱粉酶可以初步的消化穀類。很明顯地，在生理上人類並不是肉食動物——從構造與消化系統上顯示，我們生存了幾百萬年，一直都是以水果、堅果、穀類與青菜維生。

更何況，就人類的自然直覺反應來說，人類也並不屬於肉食動物。有許多人如果眞參與殺取生物的肉，供他們自己食用則往往會生病。人類不像其他的肉食者一樣吃生肉，而是把肉經過煮、烤、炸，加上種種調味料，使得它與生肉的樣子完全不同。一位科學家曾做過如下的解釋：「當一隻貓聞到生肉的味道，牠會感到饑餓並流口水，但是聞到水果的味道却完全沒有這種反應。如果人類能夠撲殺一隻小鳥，用牙齒撕下牠仍然活動著的四肢，吸吮牠仍溫熱的血而感到愉快的話，那麼我們就可以推斷，人自然具有肉食的本能。從另一方面來看，一串新鮮的葡萄會使得他垂涎欲滴，並且即使他並不感到饑餓，他還是可以吃得下水果，因爲水果的滋味是如此甜美。這是人類具有素食本能的反射作用的例證。」

科學家與自然學家，包括提出進化論的達爾文在內，都認爲早期的人類是以蔬菜水果爲生，即使經過歷史的演變，他們的生理結構仍未改變。偉大的瑞典科學家林內曾說：「人類的結構，不論從內在或外表來看，若與動物相比較，都充分顯示出蔬菜與水果是他的自然食物。」

所以很顯然的，根據科學研究，不論從生理上、結構上以及直覺本能上，人類完全適合吃水果、蔬菜、堅果及穀類。從下列生理比較表，我們可以看得很清楚。

人類與各類動物的生理比較：

(1)人 類

1. 無爪。
2. 無尖銳突出的犬齒。
3. 有平坦之後臼齒可磨碎食物。
4. 有發展完善的唾液腺可初步的消化水果穀類。
5. 鹼性唾液；內有許多酵素可初步的消化穀類。
6. 胃酸較肉食者少二十倍。
7. 腸道是背脊的十二倍長。
8. 由皮膚上的毛孔散熱。

(2)果食動物

1. 無爪。
2. 無尖銳突出的犬齒。

3. 有平坦之後臼齒可磨碎食物。
4. 有發展完善的唾液腺可初步的消化水果穀類。
5. 鹼性唾液；內有許多酵素可初步的消化穀類。
6. 胃酸較肉食者少二十倍。
7. 腸道是背脊的十二倍長，故水果等不易腐敗之物可緩慢地通過消化管。
8. 由皮膚上的毛孔散熱。

(3) 草食動物

1. 無爪。
2. 無尖銳突出的犬齒。
3. 有平坦之後臼齒可磨碎食物。
4. 有發展完善的唾液腺可初步的消化水果穀類。
5. 鹼性唾液；內有許多酵素可初步的消化穀類。
6. 胃酸較肉食者少二十倍。

7. 腸道是背脊的十倍長，故蔬菜穀類等不易腐敗之物可慢慢通過消化管。

8. 由皮膚上的毛孔散熱。

(4) 肉食動物

1. 有爪。
2. 尖銳突出的犬齒可以撕裂肉塊。
3. 無平坦的後臼齒磨碎食物。
4. 口中只有細小的唾液腺。
5. 酸性唾液；無酵素唾液素不能事先消化穀類。
6. 胃中有强烈之胃酸（約爲非肉食動物的二十倍），來消化堅硬之肉類骨頭等。
7. 腸道只有背脊的三倍長，故能迅速將易腐敗的肉類排出體外。
8. 皮膚上沒有毛孔，經舌頭散發體熱。

三・素食風行全世界

吃素並不是佛敎徒的專利
基督敎「聖經」也有素食論；
國父更以親身體驗倡導吃素的好處
當代專家的研究則指出：
素食可降低血壓與膽固醇！

㈠ 吃素逐漸成為時髦習尚

現在，只要你向餐飲界打聽一下，也許有人會告訴你，國內餐飲界有一支異軍突起的黑馬，那就是素食館子。是什麼原因使得素食館如雨後春筍般的興起呢？

答案自然是茹素的人逐漸增多了。

高雄市全省素食之家的經理說：現代人吃膩了大魚大肉、羊羔美酒，最近吃素已漸漸變成一種時髦的飲食習慣了。

其實，茹素的流行，老早風靡於海外。

西德有一種隨處可見的飲食店叫做 Reformhaus，這種飲食店只賣素食。據估計全德各地約有二千五百家，生意始終十分興隆。Reformhaus 是在柏林奧林匹克運動會後，才異軍突起的。原因是當年馬拉松賽跑冠軍的韓國籍運動家孫基忠，便是一位長年的素食者。他通常以小米、紅豆及白菜爲主食。他的體力讓德人嘆服，因此素食也就在德國流行起來了。

這種素食店，不僅供應新鮮美味的蔬菜、水果，爲了使葷食者容易進入狀況，他們以不含有附加物（色素、糖精）的純穀類食物，製造成五花八門、形狀風味類似葷食的素食來招攬顧客，深受消費者歡迎。

此外，西德茹素者愈來愈多的原因是，德國的 Hunze 族人，終身素食，據當地醫界調查，百年來罹患癌症者，竟絕無僅有。

(二) 耶和華摩西也勸人吃齋

從宗教的觀點來說，茹素自然更是天經地義的事兒了。

佛教主張茹素，是根據「我卽衆生，衆生卽我」的慈悲心懷為出發點。佛教徒認為，飛禽走獸，鷄、鴨、鵝、牛、羊、豬、狗一切動物，外形與人雖異，但牠們的靈性却同人一般。上天有好生之德，人也應有慈悲心腸。由此而推演出佛教徒的五戒：殺、盜、淫、妄、酒。他們不吃——天上的飛禽，地面的走獸，水中的魚蝦，甚至將植物中具有刺激性的葱、韮、薤、蒜等合稱「五辛」，也列在被禁之列。

主張素食並不是佛教的專利，我們在基督教聖經也可以找到上帝的「素食論」。「聖經」「創世紀」第一章第二十九節上說：「看哪！我將徧地上一切結種子的蔬菜，和一切樹上所結有核的果子，全賜給你們作食物。」

「聖經」「利末記」第十一章，耶和華上帝要摩西．亞倫諭命世人素食，在該章四十一節有明確的記錄：「凡地上爬物是可憎的，都不可吃。」同章第四十二節：「凡用肚子行走的，和用四足行走的，或許多足的，就是一切爬在地上的，你們不可吃，因爲是可憎的。」第四十三節又稱：「你們不可因什麼爬物，使自己成爲可憎的；也不可因這些使自己不潔淨，以致染了汚穢。」第四十四節：「我是耶和華你們的上帝，所以你們要成爲聖潔，因爲我是聖潔的。」

茹素對人體的影響，究竟能達到何種程度呢？底下的醫學報告可供參考：

㈢ 吃素愈久血壓上昇越慢

高雄醫學院公共衞生學科葛應欽醫師和張博雅講師，在七十一年底曾作了一次專題研究——「素食者之血壓」。結果，證明素食的年數愈久，血壓增加的比例愈低。

這項研究，是以政府登記有案的佛寺內的僧尼爲對象。自高雄到新竹，總共選取七百人作爲實驗對象。在對照組方面，則以系統抽樣，選取四十歲以上，非素食民衆五千人，根據他們的性別、年齡、身高、體重的比例，和實驗組配對以作爲對照。

研究結果顯示，非素食的男性，從四十歲到七十歲的平均血壓，最高是一三四點一，最低是八十二點六。女性最高一三四點四，最低八十一點九。從二十九歲到七十歲的素食男性，最高血壓是一二四點三，最低七十七點二。血壓比非素食者低了許多。

這項研究的另一結論顯示，素食者和非素食者的血壓與年齡廻歸線相比較，兩者的血壓都會隨年齡的增加而增加。但研究結論告訴我們，素食持續年數愈長，因年齡增長而導致血壓上升的幅度也愈小。

探討素食對人體影響程度的研究，過去臺大醫院陳瑞三教授也作過原野調查。他花了兩年多的時間，赴全省各地四十九座寺廟中，爲二四九位出家人，作各項檢查及血液分析；另外又選了一〇五七位葷食者，及患有心臟病或血管硬化症者爲樣本，作爲對照組，進行測試。從研究報告中，可以發現下列意義：

——素食不會導致貧血：二四九位出家人，只有五人患貧血症，但這五個人並非因素食而貧血，而是本身患有胃腸病或寄生蟲所致。

——素食者不會營養不良：陳教授對素食及葷食兩組作血蛋白鑑定，發現葷食者平均爲六點一至十一克；素食者則爲六點六至八點八克。以最新儀器「電氣流動法」進行測試，亦證實素食者血蛋白完全正常。

——素食者膽固醇較低：膽固醇沉積過久，容易使脈壁變厚或變硬，而發生心臟病或血管硬化。普通人血中膽固醇在二二〇毫克以下都算正常，但含量愈低愈佳。經調查結果，素食者膽固醇平均爲一五八毫克，葷食者平均爲一八〇毫克。

——葷食者眼底網膜硬化較普徧：經測試結果，素食者有百分之十六有眼底網膜硬化現象，葷食者硬化比例，則高達百分之四十。

茹素眞如以上的醫學報告那麼迷人嗎？以下的報導，又似乎叫人不得不動心。

四 國父也是素食的擁護者

大家都知道國父　孫中山先生是一位基督徒，也是一位醫師。但　國父一生提倡素食的主張，恐怕連開「國父遺教」課程的老師，都難詳述。「孫文學說」中，國父一再說到素食的好處。他說：「人類謀生的方法很進步之後，才知道吃植物。原始時代的人類和現在的野蠻人都是在漁獵時代，謀生的方法只是打魚獵獸，捉水陸的動物做食料。後來文明進步，到了農業時代，便知道五穀，便靠植物來養生。」

他明確地指出：「夫素食爲延年益壽之妙術，已爲今日科學家、衞生家、生理學家、醫學家所共認矣……」在衆多素食食品中，國父尤其對豆腐推崇備至。他說：「中國素食者，必食豆腐。夫豆腐者，實植物中之肉料也。此物有肉料之功，而無肉料之毒。」

國父以醫師的身分，在遺教中並曾有一段以戒除肉類而治癒胃疾之「病者自述」。原來，國父因奔走革命，飲食不定而得「胃不消化症」。原起甚微，因事忙忽略，漸成重疾。因他本身學醫，立卽愼講飲食，凡堅硬難消化之物，皆不入口，而僅吃牛奶、粥糜、肉汁等物。最初頗覺有效，但不久又痼疾復發。後來，國父聽從日本醫學家高野太吉的建議，戒除一切肉類及溶化流動之物（如牛奶、粥糜等物），而食堅硬之蔬菜、鮮果，「取筋多難化者，以抵抗腸胃，促使其自發力，以復其自然之本能。」結果舊疾竟然痊癒。其後偶一食肉或牛奶、鷄蛋等物，病遂復發。初以爲或有其他原因，但後再試數次皆然。於是「不得不如高野先生之法，戒除一切肉類與辛辣之品，而僅食硬飯、蔬菜及少許水果」，兩年食量增加，身體乃康健勝常。

(五) 注意營養的均衡調配

王合民醫師是一位素食擁護者，他對茹素的朋友建議說：「深綠色蔬菜，如菠菜、芥菜、甘藍菜、蘿蔔，是鈣鐵及維他命B_2的主要來源，茹素者應多加選食。但是，上述蔬菜却不含維他命B_{12}，因此，在食用時若能配以含有維他命B_{12}的黃豆，則所獲的營養，可以和牛奶相當，而不用擔心素食會營養失調！」

第三章 科學與素食

一・爲什麼肉食者較易罹病且較早死亡？

㈠中毒

由於動物被殺之前的恐懼，以及被殺之時的痛苦，使身體中的生化作用產生了極大的變化。毒素徧佈全身，而使得整個屍體都被毒化了。根據大英百科全書的記載，身體中的毒素，包括尿酸與其他有毒的排泄物，會出現在血液中與身體組織之內，因而提出了中肯的見解：

「若是與牛肉中所含的百分之五十六不淨的水分相比較，從堅果、豆類及穀類中所得到的蛋白質，顯然要純淨多了。」

正如我們的身體在恐懼或憤怒的緊張之中會得病。動物無異於人類，在危險的情況中，體內也會產生極大的化學變化。動物血液中的荷爾蒙——尤其是腎上腺素，當牠們見到其他的動物躺在牠們的四周，自己也爲了生命與自由而徒然地掙扎奮鬥，其分泌情況會亢進而把大量的荷爾蒙留在肉內，然後毒化人類的身體組織。美國營養機構也指出：「動物死屍的肉中，含有有毒的血液與其他的排泄物。」

㈡癌症

最近有一個以五萬名素食者爲對象的研究報告結果，在癌症的研究上引起了很大的震撼。這個報告指出，這羣人罹患癌症比例之低，相當令人驚訝。與同樣年齡及性別的人相比較，各種類型的癌症在這羣人的身上發生的比例，顯著地減少了許多。研究報告顯示他們顯然可以活得較長。最近一個有關於加州摩門教徒的報告指出，這個團體中罹患癌症的比例，比普通人少百分之五十。摩門教徒便是以少吃肉爲其特色。

下面略述幾個簡單而易理解的原因：

你可知道二磅多一點（一公斤）的炸牛排所含的「苯基嘌呤」（致癌物質）和六百支香煙所含的一樣多嗎？實驗中已證明老鼠若餵以苯基嘌呤，就會得胃癌及白血病（亦稱血癌或骨癌）。因此苯基嘌呤，是一種致癌的物質！另一種致癌物質甲基膽非。肉類脂肪熱至高溫就會形成甲基膽非，而烹調肉類一般却常常要熱至高溫植物性油加熱過度則不形成這種物質。這一種物質大量供給小動物就會罹患癌症，卽使少量的「甲基膽非」，也會促使動物對其他致癌物質產生過敏，而增加其得癌的機會。另外一點是大家都知道的——化學添加物。當動物的肉放了幾天以後，它就會變成病態的青灰色。肉商爲了不使它們變色，於是就在裏面加入了硝酸鹽、亞硝酸鹽以及其他的防腐劑。這些東西使肉類呈現出鮮紅色。但是近年來却不斷地有報告指出這些東西含有致癌物質。

在田納西國立歐克瑞則實驗室，專門研究癌症的威廉李金斯克博士說：「含硝酸鹽的東西，連餵貓我都不用的。」

英國與美國的科學家曾以肉食者與素食者腸內的微生物做個比較，而發現明顯的不同。肉食者腸內所含的微生物，與消化液發生作用時，所產生的化學物質被認爲會導致癌症。這或許就能說明爲什麼腸癌在以肉食爲主的地區，如北美西歐等地非常普徧，而在以蔬菜爲主之地如印度則很少發生。譬如，在美國，腸癌佔第二位（僅次於肺癌）；蘇格蘭人，比英國人多吃百分之二十的牛肉，得腸癌的比例在世界上也是數一數二的。

三 肉類中的化學毒物

吃肉是食物鏈中的最高一環。在自然界，食物的攝取，可以食物鏈加以說明：植物吸收陽光、空氣、水以維持生命；動物吃植物；大動物或人類吃小動物。現在，全世界的農田都用有毒的化學物品（肥料與殺蟲劑）來處理。這些毒藥就停留在吃植物與青草的動物身上。譬如，農田裏噴灑DDT做爲除蟲劑，這一種强烈的毒藥，科學家認爲足以導致癌症、不孕或嚴重的肝病等。DDT以及其他類似的殺蟲劑，會保存在動物及魚類脂肪內，並且一旦儲存，便很難破壞。因此，當牛吃草或飼料時，不論牠們吃下了哪種殺蟲劑，大部分都還保存在牠們體內。所以當你吃肉時，你把DDT的精華，以及累積在動物身體內的其他化學物品都吃進你的體內。由於吃的是食物鏈頂端的一環，所以人類就變成有毒殺蟲劑高度結晶的最後吸收者。事實上，肉類中所包含的DDT比起蔬菜、水果、青草中所包含的，要高出十三倍以上。愛荷華州立大學所做的實驗顯示，大多數人類身體中的DDT都是來自肉類。

但是肉類中的毒素並不僅止於此。爲了加速牠們的成長、肥胖，改進肉的色澤，供肉食的動物往往吃下更多其他的化學物質。爲了得到較多的肉以求取最高的利潤，動物們被强迫餵食，注射荷爾蒙以刺激成長，給牠們吃下開胃藥、抗生素、鎮定劑以及化學混合飼料。紐約時報曾經報導：「隱藏著的汚染毒害，對於肉類的攝取者是一個相當大的潛在危機。其中殘留的殺蟲劑、硝酸鹽、荷爾蒙、抗生素以及其他的化學物品都是。」（一九七一年七月十八日）這些化學藥品有許多被認爲會導致癌症。而且事實上，有許多動物，在牠們被屠殺之前，就已經死於這些藥物。

當農田被改成動物飼養場時，許多動物就從來沒見過陽光——牠們的一生就在偪促而冷酷的環境中度過，最後的結局卽是悽慘的死亡。芝加哥論壇曾經報導過高效率養鷄場的情形。在最上一層是用來孵鷄蛋的；然後小鷄接受刺激成長、服藥、强迫餵食；牠們在小小的籠子裏狼吞虎嚥——從來沒有運動或吸收過新鮮空氣。當牠們長大些，就遷移到底下一層的籠子裏。如此一層層下去，當到達最底下一層時，牠們就被宰殺。像這種不自然的方法，不但把體內的化學物質的平衡破壞，同時也摧毀了天然的習性。而更不幸的是，惡性腫瘤以及畸形胎兒的產生勢必在所難免。

㈣ 動物的疾病

肉食者所面臨的另一項危險就是，動物經常會感染一些疾病，而這些病往往是肉商或檢驗員沒有察覺或忽視的。當動物的身體某一部分長了癌症或腫瘤，有病的部分切掉之後，剩餘的部分還是拿去賣掉。更糟的是，有些長瘤的部分混在肉裏做成「熱狗」等食品。美國有一個地區，每天檢查的動物屠體中，竟有兩萬五千頭患有眼癌的牛屍被拿來市場販賣。科學家在實驗中發現，如果有病動物的肝臟拿來餵魚，魚也會得癌症。開樂格 Dr. J. H. Kellogg——一位有名的素食醫生，當他坐下來吃素食晚餐時曾說：「在吃飯時，不必擔心你所吃的食物是死於何種疾病眞是件好事。」

㈤ 高血壓心臟病

或許，非肉食者最強有力的一個論點，便是無可否認的，肉食與心臟病之間的關係。在美國（世界上肉類消耗量最大的國家），每兩個人之中就有一個死於心臟血管疾病，而這些病在肉類消耗量低的國家却是很少聽到。因此，美國政府設立了一個心臟病病因研究委員會，以研究能遏止這種病的生活指導原則。這個委員會建議，若要維持適量的血膽固醇，人們自飽和性脂肪所攝取的熱量，應少於總熱量的百分之十。這個委員會的報告中還有其他極有意義的建議：

少吃蛋黃、燻肉、豬油、牛油、羊脂。多吃穀類、水果、蔬菜、豆類。

該委員會更進一步建議，吃東西要節制，不但必須少吃富於飽和性脂肪的食物，而且對富於膽固醇的食物也要節制。這些食物包括像肝之類的動物器官以及貝殼類的海鮮。

美國醫藥學會會刊在一九六一年也曾經報導：「素食至少可以預防百分之九十到九十七的心臟病。」

到底是肉類中的什麼會造成對循環系統如此大的傷害？動物肉中的脂肪，譬如膽固醇，不會在人體內好好地分解，這些脂肪會附著於肉食者的血管壁上。由於不斷的累積，年復一年，血管內部會變得越來越狹窄，能通過的血液量也就越來越少。這種危險的情況就叫心臟病變。它使心臟感到很大的負擔，迫使它極為用力地將血液送到阻塞而緊縮的血管之中。結果高血壓、腦充血、心悸等毛病都發生了。最近在哈佛的科學家們發現，素食者一般的血壓都要比非素食者來得低。在韓戰期間，兩百具平均年齡二十二歲的美國軍人屍體接受了檢查，大約有百分之八十的人，由於肉類廢物的阻塞，而呈現動脈硬化的現象。同年齡的韓國士兵却沒有這種現象。韓國人基本上以蔬食爲主。

現在我們可以瞭解到，人類的第一號殺手，心臟病，已經是相當普及了。有越來越多的醫生(以及美國心臟學會)嚴格地限制他們的病人所能攝取肉類的分量。他們甚至要求病人完全不吃肉。科學家們現在體認到，素食食品中的粗糙纖維質確實能降低膽固醇。加州洛馬琳達大學營養系主任，瑞吉斯特博士 Dr. U. D. Register，曾經做實驗證實，卽使吃過大量的奶油，而豆類中所含的物質仍能使膽固醇減少。

㈥ 腐敗

當動物被殺之後，屍體中的蛋白質就會凝結並且產生自我分解的酵素（不像腐敗緩慢的植物，有堅硬的細胞壁以及單純的循環系統)。很快地，一種名爲「屍毒」的變性物質就形成了。由於在死亡後就會立刻釋放出這種屍毒，動物的肉、魚類以及蛋類有一個共同的性質——很快地分解腐敗。同時，當動物被屠殺之後，冷藏起來，然後運送到肉店，再被人買回家，凍起來，煮來吃，我們可以想像得到，這份晚餐已經腐壞到什麼程度了。

正如我們所瞭解的，在先天上人類的消化系統並不打算用來消化肉類的，所以肉類在胃腸中通過得非常緩慢，大約要五天才能通過人的身體（與素食不同，它只要一天半就可以通過）。在這段期間，由腐肉所產生的肇病物質就不斷地接觸到消化器官。結腸部分就產生有毒的情況，而很快地就把腸道磨壞。生肉，由於經常處於腐敗的情況中，所以就會把厨師以及任何它所接觸到的東西都汚染了。英國公共衞生局，在一次屠宰場爆發出中毒事件以後，警告家庭主婦們：「處理生肉時，要把它當成像牛糞一樣不衞生。」通常，有毒的微生物即使經過烹飪也不會消滅。尤其當這肉沒有煮熟，或只是輕微加以燒烤，如衆所周知的，它便會成爲感染的來源。

(七) 腎臟病　痛風　關節炎

肉食者體內所負荷的廢物，最顯著的便是尿素與尿酸。譬如每磅的牛肉就含有大約十四公克的尿酸。一位美國醫生曾就肉食者與素食者的尿液加以分析，而發現，爲了排出氮化合物，肉食者腎臟的負擔是素食者的三倍。當一個人還年輕時，他們還能承受這份負擔，所以還不至於有受到傷害或疾病的現象發生。但是當年齡漸長，腎臟提前耗損過度，它們無法再有效地作用，於是腎臟病就隨之產生。

當腎臟無法再處理因肉食所帶來的過重負擔時，無法排除的尿酸就儲存在體內。肌肉就像海綿一樣將它加以吸收；當把水分吸乾之後，它就變硬而形成結晶體。當它停留在關節裏，痛風、風濕痛、關節炎等症狀就產生了。當尿酸積聚在神經，就產生神經炎與坐骨神經痛。現在有許多醫生對於罹患上述病症的病人，不是要他們完全停止吃肉，就是嚴格地限制他們的吃肉量。

(八) 排泄困難——便秘

我們的消化系統並不適合於吃肉，因此肉食者經常抱怨排泄困難。肉類，由於纖維質極少的這個缺點，所以它在人體的消化管道之中移動得非常緩慢（比起穀類與蔬菜食物要慢四倍），因此在我們的社會之中，慢性便秘幾乎成爲共同的苦惱。

許多近代的研究報告顯示，促使正常排泄的纖維質，只能從恰當的素食食品之中得到。與肉類相形之下，蔬菜、穀類與水果保有較多的水分而易於通過消化道。蔬菜擁有大量的天然食物纖維，而這種物質正足以預防疾病。根據醫學研究，天然纖維能有效地防止盲腸炎、結腸炎、心臟病與肥胖症等。

二·纖維質的功能

我們這一代對食品中纖維價值的發現，可比擬上一代對維生素的發現。這種發現很可能激發起一場健康的革命。

㈠纖維質好處多

究竟什麼是纖維質呢？簡單地說，纖維質有通過消化系統，却不受變化的特質。它普徧存在於完整的穀物、豆類、馬鈴薯、玉米、及其他許許多多的水果和蔬菜之中。

根據專家們的研究發現，許多所謂「正常」老化，甚至可說是縮短壽命的現象，如果食物中繼續缺乏纖維質，情況將更爲嚴重；假如多吃纖維質，則能有所改善，並能預防心臟病、高血壓、糖尿病、癌症等最致命的疾病。

此外，纖維質還有以下的好處：

•有助於控制體重：多餘的贅肉，會削減我們的生命；若能多吃富含纖維質的食品，則可以控制體重，不致發胖，又活力充沛。

•能減少消化過程中對脂肪的吸收。

•可降低血液中與心臟病有密切關連的脂肪，如膽固醇、三酸甘油脂等的含量。

•也許可以維持血壓，使不致太高。

•可以降低人體對胰島素的需要，有益於糖尿病及其他病患。

•本質粗糙，可以稀釋大腸中的致癌物質，連帶其他雜物，一齊推送出體外；因而能防止腸癌的形成。

(二) 纖維質排除血中油脂

動脈管壁黏積過多的油脂，對心臟是致命傷。而纖維質能『刮掉』並排除致命的雜物。一位美國政府的科學家在一九七八年報告中說：硬質的紅色春麥及玉米麩，皆可增加血液中高密度脂蛋白的百分比，能保護心臟，排除血液中其他有害之膽固醇，以免附著於動脈血管壁而形成黏積，降低低密度脂蛋白，及膽固醇總含量的百分之十七。曾經在美國農業部人類營養實驗所工作的醫學博士朱安・木諾茲 Juan Munoz 亦曾說過，小麥、玉米和多種纖維質食品，都可降低百分之十五的三酸甘油脂（另一種血中油脂）。

蘋果及柑橘的白色外皮含有果膠纖維質，亦是有助於降低膽固醇的天然物質。英國倫敦大學伊麗莎白女王學院的醫學博士——司徒華・册雪爾 A. Stewart Truswell 在一篇醫學評論上也指出，最近至少有七篇有關果膠及膽固醇的報告，如果在病患的飲食中加入這種纖維質時，皆能「顯著地降低膽固醇」。

㈢纖維質增加・血壓就降低

血壓（血液在血管中流通的力量）之增高，有許多明顯及未明的因素。若超過正常血壓（約一四〇——九〇，或低於此數，因各人年齡、性別、種族及醫療病歷而定），即會增加因心臟病、休克、或腎臟病而致死亡的機會。

直到一九七八年，人們才開始注意到纖維質有降低血壓的作用。當時，美國一羣農業部及馬里蘭大學的科學家發現，若食品中的纖維質增加，則血壓有降低的現象。這項研究是由醫學博士裘恩•克爾賽 June L. Kelsay 及幾位同事提出報告的。研究員們將一羣自願者分成兩組，分別進食。一組吃低纖維質食物，一組吃高纖維質食物。兩種食物與一般人的日常食品大同小異。結果醫師們發現，吃高纖維質的十二人，都略微降低了他們的平均血壓。其中六個人尤有大幅度的改變。他們本來的心臟收縮壓都高於八十，吃低纖維質食物以後，平均血壓為一二三至八八，吃高纖維質食物時則降為一一八至七八（第一個數字是心臟收縮之後到達最大壓力；第二個數字是心臟舒張時的最小壓力）。

雖然在千人之中，僅有六人有顯著的變化，但他們的舒張壓降低了十個點數，也可證明高纖維質食物確實有益健康。

㈣ 纖維質可代替胰島素

糖尿病是名列前茅的死因之一，目前每年有三十萬至三十五萬名美國人因糖尿病而死亡；若再考慮其他併發症，則死亡比例更高。

美國糖尿病協會估計，每二十個美國人之中，就有一人會在他的一生之中患上糖尿病。而且，年紀愈大愈容易得病；尤其八十歲以上的老人，罹患率更高達百分之四十至六十。

如果有了糖尿病，就表示體內無法消化碳水化合物。因爲我們吃進碳水化合物，體內就會產生葡萄糖（血糖）幫助消化，或貯藏備用。當身體需要特殊能源時，儲備的血糖卽流入血液之中；胰臟並同時分泌出胰島素以調節血中的血糖含量。而糖尿病患者的胰島素無法控制血糖含量，因此有時必須從體外注射。

不過，如果多吃高纖維質食物，便能夠取代胰島素的工作。科學家們發現，有些糖尿病人可以減少，甚至免除對胰島素的倚賴；由幾項經過高量碳水化合物及高量纖維質食物的試驗中，也獲得相當令人滿意的結果。

(五) 纖維質抗拒癌症

食品中過量的脂肪及缺乏纖維質，都是造成癌症的原因之一。

「很多人吃下多量的脂肪食物，而轉變成爲腸內多量的膽酸。」報告說：「若吃下小麥麩這種纖維質，則能在腸內佔據許多空間，而有益於稀釋致癌的膽酸。」（纖維質能像海綿一樣吸收液體。因此，吃下愈多的纖維質，就有愈大塊的『海綿』。）韋恩伯格醫師及維德醫師建議，減少脂肪並增加纖維質，可以預防一般人的結腸癌；甚至割除惡性腫瘤手術的人，也可以藉著多吃纖維質食物而預防其復發。

維德說：「我們認爲目前應向大衆建議進食的方式，例如減少脂肪的食量並多吃纖維質食物等等。其實，這兩者是相互關連的，減少脂肪就等於增加纖維質食物了。」

至於食物性纖維來源，天然食物包括蔬菜、水果、豆類、根莖類、核果、全穀類、菇菌類、海藻類等都有。蔬菜中，纖維較「高」的有：花椰菜（菜花）、芥藍、青椒、菠菜、芹菜、蘆筍、空心菜、蘿蔔、蕃茄、蕃藷、白菜等。

水果方面有：柑橘、蘋果、芒果、蓮霧、梨子、鳳梨、番石榴、柚子、楊桃等。

臺大公共衞生研究所副教授陳建仁並建議，吃蔬菜時不必只摘食嫩芯，較粗老的梗子也別丟棄，烹煮時間亦不必太久以免太熟爛。

專家學者也强調，吃水果時最好別削皮而連皮吃下，水果渣也應盡量嚥下去（但食前一定要洗淨）。

豆類包括：黃豆、綠豆、紅豆、豌豆、四季豆、蠶豆、皇帝豆等，都有豐富的纖維質，但吃時要連豆渣一起吃。

根莖類如：芋頭、甘藷、蘿蔔、馬鈴薯等。

董大成教授非常提倡吃甘藷。甘藷纖維雖不像青菜纖維般歷歷可見，但它確有大量食物性纖維，能增加排便量。且吃甘藷與米飯相較，同樣的量，熱量却較低，又耐飽。

核果如：腰果、花生、杏仁、核桃等。

全穀類如：糙米、全麥等。

由於米糠、麥糠等是不溶性纖維，纖維質含量約為水果、蔬菜的四～五倍，既富含多種營養素，又有利排便，對防治大腸癌很有效。因此許多營養專家都提倡改吃全穀類為主食。

此外，菇菌類如洋菇、香菇、銀耳、木耳，及海藻類的昆布、洋菜、海苔、海藻等，也都是有益健康的好食物。

美國將木纖維加工加入餅乾中食用。人工製品方面，國內外均流行吃全麥麵包、全麥餅乾、胚芽餅乾及燕麥製的通心麵等。

由於人類自古卽吃食富含纖維質的食物，所以我們對纖維質效益的發現。眞可比擬以前對維生素的了解，二者都是人類的一大福音。

所以，請不要偏好精緻食品，大自然是很公平的，粗糙的東西雖然較難以入口，對身體却大有幫助哩！

三•素食與血質

牛尾盛保博士擔任了三個醫院的院長，院務已經够忙，但是平均每星期還要作四次學術演講，此外又要臨診、研究、寫文章，眞是比政壇要人還忙。據他道出精力始終如湧泉的秘訣，就在他這五年來實行積極性素食。當七年前牛尾盛保博士擔任日本國立東京第一病院內科研究醫師時，代表日本醫界前去歐州參加國際醫學會議後，考察歐美各國人民的飲食生活，發覺他們已由肉食主義進步到素食主義了。回國後便提倡素食，並創辦研究所及療養院，專爲最需要營養的肺結核病人設計並供應素食（住院療養的患者完全素食），結果病人都獲得優於動物性食物的營養，而無肉食之弊。

有種叫「胎兒性赤芽球症」的可怕病症，是剛生下來的嬰兒，因血型特殊，如不馬上設法救治，紅血球便迅速的不斷遭受破壞，終至死亡。救治的方法是用健康人的血液，來把這個嬰兒的血液全部換掉。好吃肉的人，血液也可以說是和這種嬰兒相似。肉食帶給人的大害之一，就是對血液方面的害處。因爲我們吃了太多動物性食物時，血液就變得含有多量對身體有大害的毒素，就把血的「質」變壞了。這樣一來，血液本來的功能就受到嚴重的妨礙而不能充分發揮。所以我們要從肉食的禍害中逃出來，也必須像那嬰兒般的換血——素食。

血怎樣換法呢？首先要明白血的功能：血是在我們全身行走，無處不到，任務是在向全身各處運送養分，並運走廢物。這樣重大的任務，必須血液本身是個「健全無病的勞動者」才能圓滿的達成。比如一個家庭主婦生了病，既不能買菜做飯給大家吃，也不能把家裏環境打掃清潔，那這個家就不像個家了；你的血液不健康，則你的身體也就和這個不像家的家一樣。

那麼要怎樣才能使血液成爲强壯的勞動者呢？根本還是在要血的「質」良好，怎樣才是良好的血質呢？這就要血液經常保持適度的鹼性。測血液的酸、鹼性，通常是以ＰＨ爲單位，ＰＨ七是中性，七以上爲鹼性，七以下爲酸性；健康人的血液是七・三五，是微鹼性，即是適度的鹼性，所以微鹼性的血液，就是血質好。

爲什麽鹼性的血液就能充分發揮血液的功能？而酸性血液反而作用受阻礙呢？這裏你記住：血液中有百分之九十二是水分，其餘的百分之八爲胺基酸、脂肪酸、葡萄糖及各種維生素與礦物質等。由於當我們吸收養分與蛋白質、脂肪和碳水化合物時，這些東西會在體內分解而生出各種酸性物質來。例如由蛋白質生出硫酸、磷酸，由脂肪和碳水化合物生出酪酸、乳酸和焦葡萄酸等。這些酸都具有强烈的刺激性，如果留存在體內，便會生出許多意想不到的毛病，也會使得血液失去其理想的功能。爲了防止具有强烈刺激性的酸性物質，在體內留存過多，血液中的礦物質如鈣、鉀等必須特別活躍。通常鈣或鉀是以與碳酸結合在一起的形態存在於血液中，也就是以碳酸鈣 $CaCO_3$ 或碳酸鉀 K_2CO_3 的形式存在於血液中，當碳酸鈣與硫酸之類的强酸相遇時，碳酸鈣中的鈣立刻被分解出來，而與硫酸化合成爲中性的硫酸鈣 $CaSO_4$ 與二氧化碳及水而被排出體外，這個過程的化學方程式是這樣的：$CaCO_3 + H_2SO_4 \rightarrow CaSO_4 + CO_2 + H_2O$

由上述的過程，我們知道血液要順利的把有害的物質排出體外，發揮血液最主要的功能，血液當中必須經常含有鈣、鉀等礦物質，也就是要隨時保持適當的鹼性。為了達到這項目的，我們必須儘量避免吃能使血液產生大量酸性物質的食物，並且充分攝取包含有用礦物質的食物。根據科學上的分析研究指出，動物性的食品多半容易使血液發酸，而植物性的食品大部分含有較多的礦物質。但是也有例外的，例如米是我們的主食，它不但是我們身體重要的熱能來源，也是成長發育的必需品。它含有較多的磷質能使血液發酸，可是我們又不能不吃，因此我們必須在副食品方面，儘量攝取足夠的礦物質，努力使傾向酸性的血液保持住理想的鹼性。由於一般的蔬菜都含有大量的礦物質，因此多吃蔬菜，能把血液當中有害的汚垢洗刷乾淨。經過洗刷乾淨的血液，流到身體的每一部分，才能充分發揮其本來的機能，保持精力充沛、生氣十足的健康身體。要曉得素食使我們的血液經常保持微鹼性，造成理想的好血質，這是健康的根本之根本，非常重要。假如你一向是特別偏愛多吃肉魚類，極少甚至不吃蔬菜，那你的血液一定是酸性，請快用素食來換血吧！

第四章 營養與素食

一・紅肉能造紅血嗎？

講究營養，注重身體的人，都喜歡吃肉類，但是有一項事實，一直被許多人所忽視。其實肉類除了磷素以外是最缺乏礦物元素的食物。根據實驗室的分析顯示，牛肉雖然含有不少鐵質；但是那些鐵化合物，對於人體並不能即刻發生效應。

乾豆含有三倍於牛肉的鐵質。豌豆、小麥與燕麥所含的鐵質也高出二倍；牛肉所含的鐵質僅其百分之十一對於人體有效，而來自蔬果的鐵質却大部分可以被消化、吸收。

幾年前，營養專家們發現一個道理：肉食不能預防貧血。

著名的 Nutrition Reviews這一本雜誌一九六二年八月號刋，有篇報告說：「令人驚訝的，老鼠飼食使用全部肉食的食譜後，引起嚴重的貧血症。」同一篇報告又說：「牛肉導致最嚴重的貧血症，豬肉也得到同樣的不良後果，而鷄肉也引起貧血的現象。」

很多人仍然誤信「紅肉製造紅血」的觀念，其實瘦肉是最壞的「造血者」，蔬果才是最好的「造血者」。

也有人這麼想，肉類是良好的維他命來源，其實這也是錯誤的。瘦肉雖然含有不少維他命B，但是豆類與穀類遠較瘦肉更爲充裕；而維他命E在種子內最是豐富，維他命A與維他命C幾乎全賴蔬果供應。

素食具有均衡的營養，且有助於我們的健康。就以米勒爾醫生所做的實驗爲例，他說：

「老鼠是素食及肉食都可以維持生命的動物，但是以兩隻老鼠分別飼以肉類及米穀，可以發現兩隻老鼠的發育及生長情形是相同的。但是素食的老鼠壽命較長，其對於疾病的抵抗力也較強，而且兩鼠患病後，也以素食的老鼠的復元較快。」他又說：

「只要吃足够的五穀、豆類、蔬菜與水果卽可。」他幽默地表示：「自上列的食物所得的營養，比呑食維他命丸要豐富得多了。」

當人們問起，不吃肉類能否滿足人類營養上的需求之時，吾人將如何回答？答案是：果決地回答「是的」。此種膳食完全適合人們營養的需要，不僅平時如此，在懷孕期、哺乳期、發育期亦如此。而且也能如薛巴人所表現的，使年輕人的身體更能承受勞苦——如極端高空、幾乎無法忍受的嚴寒、高度的耐力、如大象般的力氣等。

二·蛋白質的互補

許多人知道了素食的利益後，表示願意拋棄傳統典型肉食的習慣，但對素食之營養是否確實足够仍感困惑。一般人最容易持疑的是蛋白質的問題，如果一個人除了牛乳及乳製品以外，不吃動物性食物，是否能獲取足够的蛋白質？很幸運地，我們所獲得的答案是肯定的。許多植物之蛋白質不但量多而且品質好，這些植物包括乾菜豆、荷蘭豆、大豆類、核果及種子、穀類、麥類及其製品。許多蔬菜諸如扁豆、荷蘭豆及馬鈴薯也有很好的蛋白質。其他蔬菜和一些水果類也能供給蛋白質。素食者只要把握住不偏食的原則，米飯、麵食、豆類等混合著吃，就可以不虞主要胺基酸的缺乏了。

先談胺基酸，人體必須從食物中攝取下列十種人體自身不能製造的主要胺基酸，一旦缺少其中之一種，就會引起疾病。

主要胺基酸	成人每天需要量（克）
異白胺酸	1.4
白胺酸	2.2
離胺酸	1.6
苯丙胺酸	
酪胺酸	2.2
甲硫胺酸	
半胱胺酸	2.2
羥丁胺酸	1.0
色胺酸	0.5
纈胺酸	1.6

過去，營養學家早年一直以爲植物性蛋白質比較差，動物性蛋白質才算優良。其實蛋白質就是蛋白質，不分動植物，都是一樣有營養的。這種偏見的由來，是因

爲他們把植物性食物一個個拿來比較，發現每個都會有一兩種主要胺基酸含量太少。比如米中少離胺酸，黃豆少含甲硫胺酸、半胱胺酸及纈胺酸等。不過要是在同一餐裏有米有黃豆的話，米中所不足的離胺酸可用黃豆來補，而黃豆中所少有的主要胺基酸又可用米來輔助。這種混合的植物蛋白質跟動物蛋白質一樣有營養，根本無分軒輊。這道理就像一百元的幣值，可由一百元、五十元、十元、五元、一元…等，以各種不同形態加以組合，而不改變其價值是一樣的。所以素食者要餐餐把握住不偏食的原則；有豆類、有麵食、有米飯地混合著食用，即能不憂慮主要胺基酸的缺乏了。

常見植物性食物	蛋白質含量(%)	不足之主要胺基酸
玉米	10	色胺酸，異白胺酸，離胺酸。
腰果	18.5	不缺。
豆類	—	色胺酸，甲硫胺酸，半胱胺酸。
花生	26.9	異白胺酸，離胺酸，甲硫胺酸，半胱胺酸。
米	7.5	離胺酸。

芝蔴	19.3	離胺酸，異白胺酸。
黃豆	34.9	甲硫胺酸，半胱胺酸，纈胺酸。
葵花子	23	離胺酸。
蔬菜	—	異白胺酸，甲硫胺酸，半胱胺酸。
菠菜	2.5	不缺。
核桃	15	異白胺酸，離胺酸。
麵	10	離胺酸，甲硫胺酸，半胱胺酸。
酵母菌	—	甲硫胺酸，半胱胺酸。

按照衛生署的建議，每人每天蛋白質的需要量如表：

小孩	4～9歲	40～50g(公克)
青少年	10～19歲	60～70g(公克)
成人	20以上	60～70g(公克)
孕婦		70～90g(公克)

其實由實驗所測定的蛋白質需要量，約爲每人每公斤每天半克而已。所以要吃到足够的蛋白質並非難事，難的是如何攝取足够的主要胺基酸。如果素食者能够按照上表所示，混合食用各種素食食品，那麼蛋白質的問題就能很容易地解決了。

三・各類食物的營養

——維他命的功能——

維他命A：加強皮膚和黏膜的機能，預防眼病。維他命B_1：鎮定神經、消除疲勞、預防便秘。維他命B_2：促進成長、預防口腔炎、口角炎。維他命B_6：預防皮膚炎和貧血、促進成長。維他命B_{12}：預防惡性貧血。維他命C：增強抵抗力、預防貧血和日曬。維他命E：維護母體健康、預防不孕症。維他命P：強化血管。鈣質：強化骨骼和牙齒、鎮定神經。磷：強化牙齒和骨骼。鐵：預防貧血。其中維生素B_{12}是我們唯一無法從植物性食物中攝取的，但可從牛乳乳酪中補足。而且人類的腸子善於再度吸收人體將排出來的維生素B_{12}，能把它一用再用的保留在體內，而不呈匱乏的現象。

(一)蔬菜類的營養價值

蘆薈：熱帶性植物，具有強烈殺菌作用，以及中和葡萄球類細菌的毒素，解毒性強，鹼性高，經常食用可防止體內蓄積有毒物質。

南瓜：雖然含有會破壞維他命C的酵素，不過，煮熟後就會消失了，是熱量極高的蔬菜，也含豐富的紅蘿蔔素，可增強體力。

芥菜：紅蘿蔔素、維他命B_2、C、鈣質的含量豐富，辣味成分可促進消化酵素的分泌，並具有淨血、利尿的效用。

花椰菜：含多量維他命C、B_1、B_2，雖然是蔬菜，卻含有豐富的賴氨酸、組胺酸和胺基酸等。生吃時，使用搾汁機搾汁。煮熟後就用果汁機打汁。

高麗菜：維他命C的含量頗豐，也含有能消除胃腸障礙的維他命U，以及其他植物性蛋白質中少有的賴氨酸。

小黃瓜：含有會破壞維他命C的酵素。雖然在補給維他命和礦物質方面，沒有什麼效用，不過，利尿作用很強，可用作果菜汁。

油菜：含豐富維他命、礦物質，營養價值極高。

綠蘆筍：維他命B_1、B_2的含量多，同時也含葉綠素、蕓香甙，可強化血管、預防高血壓發生。

甘藷：含豐富維他命C，維他命B的含量也很豐富，可作爲熱量來源。

紫蘇菜：含豐富的維他命和礦物質。綠紫蘇葉的强烈芳香味有防腐作用，一向被用作健胃藥以及利尿藥。

茼蒿：含豐富的維他命A、B_2、維他命C、鈣鐵及微量草酸，又含多量的賴氨酸。

薑：可促進消化酵素的分泌，具整腸作用，能加强血液循環，使新陳代謝活潑化。低血壓者或患感冒的人，不妨多飲用加薑的果菜汁。

西洋芹：可治療神經症狀、促進血液循環作用。此外，含有各種香味成分，有助於機能之發揮。

芹菜：含有維他命A、B_2和鐵，有降低血壓和解毒的效果。

蘿蔔：葉片含豐富維他命A、C、鈣、鐵等養分。根部完全不含維他命A，其他的維他命含量也很少。但含有多量酵素，其中最多的是有消化澱粉作用的澱粉酶。

蕃茄：一個中等大小的蕃茄含有三十毫克的維他命C。亦含其他植物少有的維他命B_6，同時蕃茄含有果膠，具整腸作用，對治便秘有效。

紅蘿蔔：維他命A的含量特別多，可增強體力。不過，含有會破壞維他命C的酵素。

白菜：維他命C的含量稍多。

綠花椰菜：維他命C的含量比檸檬多，而且含有豐富的維他命B_1、B_2、磷、鈣等養分。

蓮藕：維他命C含量豐富，維他命B羣含量少，種類却很多。尤其一般植物性食品少有的維他命B_1，在蓮藕中却含有許多，具有止咳效果。

荷蘭芹：在所有蔬菜中，維他命和礦物質含量最多的就是荷蘭芹，尤其所含的維他命A，比紅蘿蔔多，維他命C的含量又比柑橘多六倍，鐵分含量也是蔬菜中最多的。不過，煮熟後不能吃得太多，因此最好是搾汁飲用較爲適當。

青椒：含豐富的維他命C。辣味成分和香味可促進食慾，夏天吃了可防止身體疲勞。

菠菜：維他命A、B_1、B_2、C和鐵的含量頗豐，含許多草酸，不能大量生吃。可是，貧血的人爲了補給鐵分，把菠菜和荷蘭芹一起搾汁，每個月喝一—兩次，對身體非常好。草酸會阻礙身體吸收鈣質，所以，菠菜最好不要和含有豐富鈣質的蔬菜一起搾汁。

㈡　果實類的營養價值

柿子：有豐富的維他命C，具利尿作用，可促進體內廢物的排泄。另外含有一種「單寧酸」，有收斂性，能使大便固結，對蛋白質亦有凝固作用。因此，蛋白質含量多的食物最好不要和柿子共食。醫學上有記載：「柿子可治腸胃病、解酒毒、止渴、消痰、潤肺以及小兒補脾等功效」。但柿子汁性寒，最好不要在晚上食用。

草莓：維他命C的含量是柑橘類的兩倍以上，治便秘有效。

香瓜：種在田中的香瓜，維他命C含量和柑橘類大致相當。不過，溫室栽培的哈蜜瓜和田地栽培的香瓜比較，其維他命C含量只有一半。能促進水分代謝，具利尿效果。

芒果：在醫學上，它有安定神經之功效。含有豐富的維他命A、B、B_1、B_2、C、鈣、磷，是造骨健齒的主要原料。

桃子：含有一些維他命C，其他的維他命和礦物質含量少，不過，其成分可使腸的功能活潑化、促進廢物的排泄。

奇異果：所含維他命C量和草莓相同，檸檬酸的含量也多，對於消除疲勞有效。

鳳梨：含有蛋白質分解酵素，和牛奶、豆漿拌在一起，可提高蛋白質的吸收。

葡萄：含有豐富的葡萄糖和果糖，可很快轉化成熱量，對於消除疲勞有效。

枇杷：是水果中含維他命A最多的一種，此外，也含豐富的轉化酶和澱粉酶等酵素，具有整腸、消除便秘的效果，也能除去浮腫。

木瓜：含豐富的維他命C和A（約香蕉的四、五倍），並含有大量蛋白質分解酵素木瓜酶，胃腸和肝機能較弱的人食用後，可增強體力，對治療便秘也有效。

西瓜：含維他命A、B、C且有蛋白鈣磷鐵等。汁多可提高體內的水分代謝作用，有助於廢物的排泄，對強心、利尿、消除浮腫有效，飲用西瓜汁可防止便秘。

香蕉：含有相當多的維他命A、B、C。一根中等大小的香蕉，約含八十大卡的熱量。可調整促進腸的蠕動，有助於消化吸收，增進食慾、促進血液循環、防止便秘；還能醫治結腸炎、胃潰瘍、尿毒症、胃硬化、貧血、心臟病、動脈硬化等；並且還是糖尿病最佳的營養品。

蘋果：含有A_1、B、C、D等維他命。可治消化不良、潤腸健胃，還能消除體內多餘的脂肪，作減肥藥劑。最近日本佐佐木教授，經多年研究，發現每天吃蘋果的人，可以降低血壓。據醫書上記載：「蘋果能消痰和治肚痛、糖尿病等」。

日本科學家，曾從蘋果皮提煉出來一種藥丸，可作爲大腸患者的特效藥，治療便秘、腹瀉等病，我們吃蘋果最好能連皮吃下更佳。

柑和橘：柑桔有提神醒腦的功效，病者常吃，可使其病早日康復，且含有大量的維他命C，其功能有下列三項：

(A)能助消化，治胃熱、壞血病，有防老化之功。

(B)可以美容，可以止渴，是動脈硬化和糖尿病患者之保姆。

(C)晒乾後，可製成「陳皮」，供醫藥上之用。能健胃、止咳、祛痰、預防感冒，有殺菌之功。

梨：梨能潤肺涼心、消痰降火、清解酒毒、祛痰淨血等，對於發燒、呼吸困難、糖尿病、氣喘病等更爲有效。水汁特別多，常吃不但能爽潤喉舌，而且還可預防喉病，並有利尿作用，可防止便秘。

龍眼：含有維他命A和B，具有豐富的蛋白質和脂肪，是一種滋養的強身劑，它在醫藥上很有價值，能治健忘症、神經衰弱、貧血、失眠等症，還具有補血的功能。

檸檬：檸檬含有豐富的維他命A、C、D。歸納起來，約有四種益處：

(A)能防止中毒，分解人體的毒素。

(B)富於維他命C，可以防止高血壓，緩和神經緊張，振作精神。

(C)可使皮膚光滑潔白，女性常吃，可以美容。

(D)蛋白質豐富，有幫助消化之功效。

荔枝：含蛋白質、脂質、鈣、磷、鐵、鉀及維他命C。荔枝性熱，可治胃寒、腹痛，在醫藥上有暖胃作用，但凡患有熱病的人則不宜多吃。

梅：在醫藥用途極廣，可以消毒殺菌、鎮嘔、退熱、止咳、祛痰，對一切消化器官的病，治療很有效。

橙：含有豐富的維他命A、B、C。皮除去白部把它晒乾，可作健胃劑。中藥採取未成熟的小橙子，還可作止瀉藥。

甘蔗：甘蔗的種類很多，其中以竹蔗爲最佳，含醣質豐富。將它搾汁，可以止渴、解酒、利尿、潤肺、消痰等。

㈢ 其他食品的營養成分

豆漿：含有豐富的植物性蛋白和卵磷脂，所含的鐵分比牛奶還要多；不過，鈣含量少，所以最好加牛奶或脫脂奶粉混合，多喝豆漿可防止因爲攝取過多動物性食品所引起的成人病。

脫脂奶粉：脂肪含量少、鈣質多，亦含豐富維他命B_1、B_2、菸鹼酸。加入果菜汁中，即成爲鈣質豐富的健康飲料。

蜂蜜：含微量的多種維他命、礦物質、酵素。所含的糖分爲葡萄糖和果糖，即使沒有維他命B_1的協助，也能把攝取的蜂蜜立刻轉作熱量。

牛奶：含有豐富的容易吸收的鈣質和蛋白質，維他命B_2的含量也不少。

酵母乳：含有容易吸收的鈣和維他命B_2，可增加腸內的有益細菌，促進腸內的維他命合成作用。由於維他命B羣和檸檬酸的作用，對於消除疲勞很有效果，加上果汁作成酵母乳果汁，可防止便秘。

小麥胚芽：含有豐富的維他命E和B羣，營養價值很高。

乳酸菌小麥胚芽：乳酸菌可控制腸內有害細菌的活動，促進維他命在腸內合成。「乳酸菌小麥胚芽」是指將活的乳酸菌包裝起來，同時加上有助於體內細菌活性化的小麥胚芽和蜂蜜，不但有整腸作用、促進維他命的合成功能，而且可提高體內的排泄作用。腸功能較弱的人，可飲用蔬菜、牛奶、酵母乳加乳酸菌小麥胚芽做成的飲料，效果很好。

芝麻醬：含有豐富的蛋白質、維他命B羣、E和鐵。營養價值高，加牛奶、豆漿、蜂蜜一起吃，可加强體力。

酸梅：含豐富檸檬酸，有殺菌作用，對預防食物中毒也有效。

第五章 素食與婦幼

一・你希望寶寶更聰明嗎？

人腦的發育在懷孕五個月後到出生後十八個月內就完成了。日本醫學博士小林司說：「許多人以爲經常不斷的思考或是接受外來的刺激，就可以增進智慧。這是不錯的，但實際上，頭腦和身體其他部位的器官一樣，需要不斷的補充營養。」

頭腦的好壞是由什麼來決定的呢？從前人說是由出生時，頭的大小來判定的。雖然，有些智商高的人頭比較大而且比較重，這是事實，但並不是絕對的。決定的因素還是在於腦的營養。因爲腦細胞的本質和間質（彼此間的共濟協調）均需要充分的營養。母親們經常忽略了懷孕期間胎兒腦的營養素的供給。在這個期間如果營養供給不足，則以後再怎麼補充都不太有顯著的效果了。再則人腦在懷孕五個月後到出生後十八個月內，生長特別迅速，這段時期如果頭腦缺乏營養補給，則會造成兒童的智能較差，這是有實例可證明的。第二次世界大戰時，以色列難民，由於極度缺乏食物和營養，因此孕婦也都營養失調，所以生下來的孩子智力發展遲緩，注意力不集中，精神不穩定，智能也極差，而沒有任何一個特別優秀的孩子的記錄。這些智能差的孩子，身體發育也不好；由於身體發育不佳，智能更差是無庸置疑的了。

由此可知人腦受食物營養的影響是很大的，所以母親在懷孕時不但要有營養知識，而且要有心理準備，然後再補充一些必需的營養食物，則不但可以減低癡兒的出生率，而且可以增長嬰兒智慧。又人腦與其他動物的腦發育略有不同。人腦在胎兒時卽可加以培養，除非有先天性疾病，否則一定可以培育出很好的頭腦來。

人腦在完全發育時，腦幹處有一層防護壁，可以防止一些有毒的物質進入大腦，但當嬰兒的腦尚未發育完全時，有易於中毒的危險。所以應避免食入會造成腦神經傳導障碍的東西。例如含有水銀、農藥、PCB 消毒劑、鉛和防腐劑的食物或一氧化碳等有毒氣體。母親哺乳時，亦應儘量避免接觸到上述的東西。

腦的發育在這一段期間裏（懷孕五個月到出生後十八個月），是時快時慢的。所以在胎兒時期和嬰兒時期營養的選擇與持續是很重要的。食物裏，肝是含維他命豐富的一種，但因其本身是一個解毒器官，裏面含有汞等毒素；魚肉類之魚脂亦含有PCB消毒劑等毒素，雖然遠洋的魚因含魚脂較少，比較可以安心食用，但這些食物對嬰兒的腦發育都是有害的。若欲攝取鈣質時，可由多喝牛奶、豆奶而得。攝取蛋白質可以從黃豆裏面取之。豆腐裏面除了含有AF_2（石膏質）外，不含任何防腐劑，可以安心食用。維他命A、D、E、K等成藥不可食用過多，從多變化的日常飲食攝取自然的營養素是最好的方法。

嬰兒期的哺乳也很重要，不過給予母奶或是牛奶那一種好呢？當然是母奶最好，因爲母奶不會使嬰兒過敏，而且有防止疾病及免疫的功用，但是有的母奶對嬰兒不適合。例如患有苯酮尿症Phenyl Ketonuria的母親，其母奶則不適合哺乳嬰兒。如果嬰兒吃了這種奶，則腦力會遲鈍而且會有癲癇現象發生。此時可改用牛奶哺乳。有服用安眠藥的習慣的母親，當然最好也避免哺乳。

哺乳的母親本身也要注意營養與健康，有人說：「有健康的母親，才有健康的孩子」。調奶時的奶瓶盡量選用玻璃製的，少用塑膠製的。而且少用白砂糖，多用黑砂糖。

當幼兒的腦發育到了三歲時，便已達到高峯。幼兒的體重不斷的增加，但腦的重量却不再增加了。此時這部「計算機」已經配備完成，有待外來的知識灌輸。動物實驗顯示，越是經常受到刺激的老鼠，反應越好。所以人也常說頭腦是愈用愈好。

下面我們介紹一些營養頭腦或清醒頭腦的食物：

㈠**鹼性食物**：腦的主要成分是蛋白質，但不可因爲如此就大量攝取蛋白質物質，因爲蛋白質分解後之胺基酸，在身體內或腦內被吸收的百分比尚未全然瞭解；且肉類蛋白質是酸性的，食用過多，反使體內的鈣質和維他命B_1減少，精神不穩定，頭腦活力遲鈍，血液循環不好。所以最好食用果菜類、海草類等鹼性食品，使血液的酸鹼度偏鹼性。蛋白質以取自黃豆者爲佳，因含酸性物質少。脂肪對腦營養也很重要，但宜食用植物性油如蔴油等。其他鹼性果類，則以橘子、橙子、蜜柑、檸檬、柳丁等爲佳。蔬菜類亦屬於鹼性食物，很多事實也證明蔬食者較肉食者長壽。多食蔬菜是有益健康的。羅馬世運游泳冠軍選手梅露波列和馬蕾娜斯都認爲食用蔬菜好。因爲食用蔬菜可以使血液常呈鹼性，而保持頭腦清醒。黃豆，古人認爲是「素肉」，是優良的蛋白質來源；證之出家人不吃肉，但身體比別人健康，頭腦也很聰明，因爲他們常吃黃豆，及黃豆製品。

㈡**整腦食物**：這是指因爲便秘等原因，而使頭腦昏沉時所需調整的食物。便秘的原因有神經性的或由藥物、飲食引起。由於大便不通，留在腸子裏面的東西就會發酵，而使頭腦昏沉（當然還有其他生化機轉）。常食用菜頭葉（蘿蔔葉子）、牛蒡 Gonbo 等多葉綠素蔬菜，及多纖維質的蔬果，可以防止便秘。

㈢**醒腦食物**：使頭腦清醒有活力的食品，在歐美各國較易取得的計有麥芽、啤酒酵母、乳酸菌、脫脂奶和黑蜜糖。在東方較易取得的，而且沒有被污染的食品計有麥、自製的養樂多、黃豆、南豆、豆粉、高麗菜、海帶芽、海苔、菜頭和胡蘿蔔葉子、蔴油、沙拉油、天然醋、白蔴油、黑砂糖、蜜柑、檸檬、香菇、和蜂蜜等。此類食品每天均可食用。

㈣**茶**：茶的主要成分與咖啡的成分相似，都含有咖啡因，會使人腦清醒。純果汁和冷茶混合在一齊，可以給小孩子飲用。茶除了醒腦外，還可以增加身體抵抗力。茶裏面含有維他命C，不怕被熱破壞，同時茶裏面還含有產生澀味的物質，具有殺菌、血管收縮和抑制分泌等效用，可以清醒頭腦，是唯一的鹼性飲料。

㈤**維他命B_1**：當維他命B_1不足時，膽紅質鹽（酸）會增加而產生神經組織代謝障碍，如記憶力減退。所以維他命B_1是腦細胞不可或缺的「營養素」。含維他命B_1的食物有小麥胚芽、芒果、苦瓜、青莧菜、茼蒿菜、油菜、米糠等。

㈥**維他命C**：維他命C不足時，會有精神疾病或智能減低的現象，這是最近才知道的。維他命C可以提神解勞。有人曾實驗過，給予大量維他命C多少可以提高一些智能。含維他命C豐富的食品有水果類如蜜柑、檸檬、鳳梨、葡萄、紅柿等。蔬菜類則有椒葉、青江菜、菜頭葉子、菠菜、碗豆、高麗菜、和豆芽等。

以上所提之原則，只要您在懷孕期間，及孩子的養育過程中確實做到，您的寶寶將會「更聰明」、「更健康」、「更孝順」！

二・肉食與女性難產

前面談過，偏於吃動物性食物的人，血液常是酸性；而酸性血液的身體，最容易受傷害的部分就是骨和牙。人體內全部鈣量的百分之八六・六是在骨和牙內，有理想的鹼性血液的人，這許多鈣不過是構成骨和牙的要素，並不作他用。但是多吃肉類的人，其血液變成了酸性，又不曉得從食物中補充鈣等礦物質的話，則體內爲了自然的中和酸性作用，就從骨和牙內把鈣抽出溶到血液中去，作中和酸性之用。這就是說，平常骨和牙內所含的鈣分，是在血液本身不能以平常的方法中和，而不得不變爲酸性時，才被派遣到血液中去做「預備軍」。血液經常保持正常微鹼性的人，是不用這支「預備軍」的。但是肉食者不能補充新的鈣等礦物質，血裏沒有和酸性物質作戰的軍隊，就必須從骨和牙內把鈣抽出來作戰了。這樣一來骨和牙的鈣不足，就變得瘦而脆弱了。經常如此，造成骨和牙發育不全，而有蟲牙、黑牙、缺牙，骨也是瘦而長，胸廓變得狹長。

一個女性在生長過程中如有這情形，則骨盤狹小，容易發生難產。近來年輕的孕婦常有分娩困難，多是生活寬裕，吃肉太多，血液變了酸性，不得不從骨和牙內抽出鈣來應戰，以致骨盤變得狹小所致。

佛家以慈悲爲懷而戒殺，佛國印度民間有個傳說：若是殺牛、豬吃了或是吃了其他動物的肉，則必得報應，使女人死產或難產。這話聽來似是迷信，但以科學來分析，吃多了動物性食物會使骨盤狹小而難產，這種傳說也不是無因，或許他們因吃了過多的動物性食物，而致難產或死產，由此經驗得來的教訓，證實素食因血液與鈣的關係更可預防難產。

現在是太空科學時代，大家特別注意營養，偏於多吃動物性食物；很多兒童跌一下就骨折，老人在榻榻米上跌倒也會骨折，這都是骨質不良的關係；也就是偏重肉食，酸性血液使骨質惡化的結果。本來骨和牙內的鈣分，是不應該被抽出來消耗的，但因肉食過多，而大量抽調到血液中來消耗掉，以致得了佝僂病或軟骨病的，也是時常有所聽聞。因此，爲了骨骼發育良好，拋棄肉食，才是明智之舉。

三・素食與美容

覆蓋我們全身表面的皮膚，最能把血液的好壞狀況反映出來。有人說：「皮膚是健康的鏡子。」的確，皮膚的變化，最能使人一目了然的把體內的健康狀態看出來。皮膚粗糙、黑斑、雀斑等等，很多人認爲是體質使然，是生來如此，沒有辦法。誠然，皮膚的異常與體質有關，但爲什麼我們不把這有問題的「體質」設法改善呢？

有很多女性爲了皮膚粗糙，去找美容品，去向醫生鞠躬，但却少有把目標轉向於本身的「體質」上來的；而要想皮膚美，又非從身體裏面來努力不可。

如前所說，皮膚最能把血液狀況忠實地反映出來，因此皮膚的狀態與血液的狀況有密不可分的關係。血液的質如不好，也同樣的使皮膚的質不佳。質不好的皮膚，不管你從外面怎樣的油漆粉刷，當然收效很少，頂多也不過是充充門面而已。

我們要把觀念一改，把皮膚的粗糙、斑點等等毛病的治療，寄託在血液狀況的改善上，才有根本治癒的可能性，這才是根本的方法。

皮膚粗糙的主要原因，是汗腺的作用發生異常；汗腺的作用是人體重要的新陳代謝之一，所以分泌出來的汗液內，約含有百分之一・五的固體物質。這些固體物質主要的是食鹽、尿素、乳酸等，混在汗內不斷地分泌出來。雖然我們的肉眼看不見這些東西，而它們則是確確實實的湧出而停留在皮膚的表面。這就是造成「縐紋」的主要原因。

假若我們肉類吃得過多，則血液的酸性度也高，而血液裏的尿素和乳酸——特別是乳酸的量也增多。這種乳酸是「酸」的一種，一隨汗來到皮膚表面，就不停地侵蝕皮膚表面的細胞。這樣受了侵害的皮膚，是可以用肉眼看得出來的。沒有張力、失去彈性，尤其是面部皮膚特別顯得鬆弛無力，一遇冷風或被日光曝曬，皮膚馬上裂開或發炎。

但是我們又不能使身體不出汗，因爲這是自然的新陳代謝作用。我們既知如此，如果我們能够長期食用含鹼性礦物質的植物性食物而使血液變成微鹼性，則血液裏的乳酸等就大爲減少，也不致有大量的有害物質隨汗排至皮膚表面來損害健康的皮膚了。同時，如鈣等礦物質又能把血液裏有害的汚物清洗掉。經洗淨後的血液，就能充分發揮作用，也使全身各個器官功能活潑，全身充滿生氣，皮膚自然柔嫩光滑，顏色紅潤，婦女更加嬌艷可愛。我們看見多少位素食實行者，年紀均在天命開外，甚至六十七十還有更高齡老人，而看來眞是如同四十以內之人，就是這個道理。所以說素食是最爲有效、最爲根本的內服「美容」聖品。

四·素食減肥

古語說：「肥胖是福。」但是，隨着今日醫學的進步，各項實驗在在證明肥胖不是福，而是可怕的文明病。

現在不只是年紀大的人肥胖，年輕的肥胖者也屢見不鮮。肥胖在不知不覺中侵蝕了您的身體，威脅您的健康。如果您是年輕的職業婦女、或公務員，一天的工作結束後，雖然並沒有什麼病，但感覺有腰酸背痛、疲倦、懶散無力、無法集中注意力、喘氣、心悸等症狀，這就是老人病的前兆，這就是身體各部機能老化的現象，也是肥胖的貽害。

過胖的原因，不用說都是由於吃肉過多，尤其是動物性的脂肪，在體內不易排泄，堆積下來的結果。現在我們也過於講求營養，又以爲只有動物性食物才是含營養最豐富的食物，於是拼命學歐美人多吃肉類，以致動物性脂肪和動物性蛋白質攝取過多，在體內產生過多的熱量而無處使用，便因囤積而發胖。

世界上最先把人類每天所需的熱量用單位大卡計算出來的，是德國慕尼黑大學的福特教授。他在一八八一年發表的「卡路里學說」中指出成人一天的營養食料，應有乾燥蛋白質一三七公分，脂肪一一七公分，碳水化合物三五二公分；這些食料所產生的總熱量約三〇七〇卡路里，相當於現在一個劇烈勞動者的一日必需量。

要知道「高熱量營養論」已經不合時代了，現在美國人談營養已不把問題放在「熱量」這一方面了。例如他們現在的報紙、電視、廣播等推出的食物廣告，都是堂堂的宣傳「這是低熱量」的食品。所以歐美最新的營養學，已拋棄動物性食物的高熱量學說而以「低熱量」爲目標，進步到素食主義了。因爲植物性的食物熱量低，所以素食的人能保持適當的體重；而且素食能使血液變爲微鹼性，使身體的新陳代謝作用活潑起來，得以把蓄積於體內過多的脂肪及醣分燃燒掉，而能自然的治癒肥胖。

我們中國，早在古代就提倡素食，近代也有著名的政治家，大學者努力提倡；歐美人士到現在才發現這個簡單而有效的秘訣，其智慧的啓發，也未免太遲了一些。科學儘管進步，社會儘管繁榮，但人類以素食爲主的理想也永不受時空的限制和淘汰，因爲它是古聖先賢、佛學大師，以及歷代生活經驗所獲得的寶貴的知識。

第六章　素食的現世利益

一・素食使你更聰明

大戴禮記云：「食肉，勇敢而悍；食谷，智慧而巧。」這是素食可增長智慧之說。見於我國最早之古代典籍。此說對年輕的智識分子，非常重要。可惜後之提倡素食者，類多從因果業報，戒殺護生立論，很少人去研究「素食者智」之原理，誤了多少人素食之機緣。近代日本國立公衆衛生院平山雄博士，以研究學術的眼光，曾發現……素食者嗜慾淡，肉食者嗜慾濃；素食者神志清，肉食者神志濁；素食者腦力敏捷，肉食者神經遲鈍……。他這種發現與我國古人素食多智之說，不謀而合。

要知道我們人類的頭腦，也和其他的器官一樣，其發揮功能的最基本的單位是「細胞」。據奧地利籍的艾柯魯馬及柯斯奇拉斯兩位馳名世界的病理學大家的研究，人從生下來開始，腦內就有一百四十億個腦細胞。所以一個人的腦細胞數，約等於現在全世界人口總和的四倍。

但是這樣多的腦細胞，並不是經常全部活動的，人在兒童時代頂多只有百分之幾的腦細胞在活動；卽使一個成人，也只有四分之一（百分之二十五）左右的腦細胞在工作。

常有人說：腦的重量大小表示一個人的智力之高低，或是大腦的皺襞多就表示是頭腦好。其實問題並不在於全腦的重量，而是如何使那百分之七十五以上的睡著的腦細胞都醒起來，同時也使已在活動的腦細胞，能够發揮其最大的功能。

根據大腦生理學上的說明，人的頭腦活動力，是由腦細胞內具有正反兩種力量交互作用而成的。在此擧一個簡單的例子來加以說明。

例如我們現在想做一件事，首先大腦細胞裏就有「要進行」的活動傳達出來，這種活動訊息稱「正作用」或稱陽性作用；但是大腦細胞裏馬上又有「不可做」的活動訊息發生，來阻止「要進行」的活動，這種阻止作用稱「負作用」或稱陰性作用。但是，這件事情很值得做時，要做的「正作用」又抬起頭來，同時負作用又來阻止。這樣一個要進行，一個要阻止，正反兩種作用在腦髓裏一層高於一層的撞擊不已。這情形就是我們通常所謂的「思考」；這樣衝擊到最高層，也就是最後，得到結論：「這事很值得做。」這才付諸行動。

因此，人的大腦細胞若是「正作用」強，那這個人便是盲目的衝動者；若是「負作用」強，就成了什麼都不能做的消極者。所以，要頭腦好，必須這兩種作用都強，而且要配合得好。如此思考力、判斷力、推理力等等便都強起來了，這就是我們所說的「某某人很有頭腦」的情形了。

但是要大腦細胞充分發揮正負兩種作用，必須充足的供給大腦細胞活動所需的養分。這些養分就是麩酸、維他命B_1、B_6、B_{12}、泛酸及氧等。下面再具體一點說明怎樣取得這些養分來供給大腦細胞。在營養素中，大腦細胞正、負兩種作用的活動力的來源，就是「麩酸」（一稱麥氨酸，為構成蛋白質的氨基酸之一）。此外須有維他命B_1及B_{12}的配合，才能使大腦細胞的「正作用」發揮出力量；反之，要有維他命B_6及泛酸（本多生酸）配合，才能使腦細胞的「負作用」發生能力。如此配合，發揮高度的力量，才能使一個人產生高超的智慧。

總括起來說，要頭腦活動良好，在我們所吃的營養素中，絕對少不得麩酸、維他命B_1、B_6、B_{12}及泛酸這幾種營養素，並且還需要供給氧氣充足的新血液。現將此類營養素之來源列表如左：

營養素	來源
麩酸	大豆、小麥粉、麥麩、花生、豌豆、牛奶等。
維他命 B_1	米的胚芽、蔬菜、豆類、麥麩等。
維他命 B_6	大麥胚芽、蔬菜、酵母等。
維他命 B_{12}	粗麵、糙米。
泛酸	蔬菜、酵母、根菜如蘿蔔等，其根部可供食用之蔬菜。

以上這些維他命，除可由體外的食物中取得之外，又可由自己的體內自行製造；但假如我們偏食肉類使血液變爲酸性，則不能達成在體內製造維他命的任務。

就以上各種健腦的營養素來看，我們如果實行素食，就能增長自己的腦力。素食不僅可以直接攝取到全部健腦的營養素，且使全身都具有促進頭腦發展的條件，使已在工作的腦細胞一個一個都具有充分的活動力，且使沈睡中的多數腦細胞活化，使腦細胞發揮其最大能力，而擁有高超的智慧。所以，素食實在是增長智力的不二法門。

二・素食消除體臭

曾經有一位朋友說笑話：今天這個社會經濟繁榮，生活水準很高，我們的飲食生活更是越來越好。可是，我們的身體却是越來越臭了。這是事實，尤其到了夏天，你在非常擁擠的公共汽車裏，就可以聞到許多紳士們身上的維他命劑的氣味，青年男女腋下的惡臭。特別是有狐臭的中年女性，再擦上想用來掩蓋臭味的香水，散發出來的那種不能言喻的氣味，眞是聞者昏昏欲嘔欲暈。

本來香水這種東西，是盛行肉食主義的西洋人所發明的。凡是跟西洋人一起接觸過或是生活過的人，都曉得他們身上有一股强烈的體臭，所以西洋人不得不用香水來掩蓋身上的怪味。我們東方人，除了最近這幾十年之外，從前就一直沒有在身上用香水這種事情；雖然我們也愛聞香，但我們從前是燃檀香，或是欣賞芝蘭之香、百合之香。這全都是對於幽雅之香的一種欣賞，絕不是藉著香水來掩蓋身上的氣味。

這是由於過去東方人的副食偏重於蔬菜，所以我們身上並不需要消除不良的體臭。雖然我們不贊成過去那種限於經濟能力的不合營養理想的素食，但是像西洋人那樣肉食過多，就會產生狐臭體臭的煩惱。現在是八十年代，我們國民生活水準普偏提高，大家飲食方面都要講求營養，學西洋人吃肉過多，以致身上也有了怪味。尤其是青少年男女在腋下散發出的强烈臭味，實叫人聞之掩鼻唯恐不及。

人的難聞體臭中，最成問題的就是腋下發出的臭味。而這種腋臭，是由於腋下的汗腺所分泌出來的帶有惡臭的汗水而來。而腋下的汗水之所以帶有惡臭，又和食物有著直接的關係。

假若我們偏重於肉食，而使血液變成了酸性，則在血液裏所產生的有害的酸性物質，便有大部分從汗液裏分泌出來，特別是後腋下的汗腺分泌出來的最多。這些酸性物質都是奇臭無比的，是造成腋下散發惡臭的主要原因。

我們人體腋下的汗腺能把身體內的廢物排泄出來，這就是反映了新陳代謝的結果。而從腋下散發的臭味，可以曉得體內血液中是有害的酸性物質居多，也就是說明了血質是不良的。但是，重要的一點，就是如果我們改爲素食，並且持之以恒，行之久遠，使血液慢慢變爲微鹼性，便能將這些有害的酸性物質在血液中予以中和，進而使血質漸漸改變；最後雖也同樣的有汗水排泄到體外，但却不會有難聞的氣味。所以，素食的實行者沒有體臭，就是這個道理。

三・素食不遭殺劫

目前國際風雲，詭譎萬千，而殺人武器，競尙新奇。一旦第三次世界大戰發生，其殺人之多，死亡之慘，將不堪想像。言念及此，莫不人人自危，雖經有心人士，倡議限制製造凶殺武器；可是儘管說者言之諄諄，說得舌敝唇焦，而造者聽之藐藐，依然不斷製造。國與國之間，競造巨型戰鬪武器；人與人之間，競製精巧殺人工具，整個地球上，到處殺氣騰騰，沒有一塊安樂土，這是什麼緣故？這就是人類殺生食肉招來的果報。因爲一切衆生皆有靈性，此靈性與血肉之軀，不一不異，色身有生死，靈性永不滅。由於靈性不滅故，往返六道，此死彼生，彼死此生，生生死死，永無休息。皆悉隨著自己所造的業因，去報恩報怨，與受苦受樂。而一切恩怨業報中，以殺生食肉，其怨最深，何以故？衆生最寶貴者生命也，人畜皆然。今此最寶貴之身命，遭到殺害，恨毒之深，報仇之切，無與倫比，自然要一刀還一刀，一命償一命了。誠如楞嚴經所說：「以人食羊，羊死爲人，人死爲羊，……死死生生，互來食啖。」這種互殺互食的因果輪廻，若一人造殺業，則一人受殺身之禍，若一國人共造殺業，便招感殺劫了。

殺劫又名刀兵劫，卽是徧地起戰爭。這種刀兵劫的起因，依佛法的因果業報來談，根本的原因是從殺生食肉而起的。今擧慈壽禪師的偈子來作說明，偈云：「世上多殺生，遂有刀兵劫，負命殺汝身；欠財焚汝宅；離散汝妻子，曾破他巢穴。報應各相當，洗耳聽佛說。」這個偈子的第一句「世上多殺生」是因，「遂有刀兵劫」便是果。你從前害了他的命是因，他今生殺你身是果。你過去謀他的財是因，今生他燒你的屋宅是果。爲什麼他害得你妻離子散呢？因爲你過去生曾破毁他的巢穴——殺鳥食卵，所以他今生害得你妻子離散，因果應是「吃他半斤還八兩」一點也不馬虎。所以欲想不受苦報，便應當皈依佛門，相信因果道理，勿造惡業。再擧個歷史事實來作證明：從前佛在世時，琉璃王帶了大兵，去打迦毘羅衛國。佛曾親自去見琉璃王，請求和平解決，結果和談不成，佛就叫釋迦族人防守自衛，不要攻擊。琉璃王的軍隊攻入城來，到處亂殺人民，這時神通廣大的目連尊者，運神通力將釋迦族人五百，攝入一鉢之內，送至天宮避難。等到戰爭停止後，再去拿來一看，鉢中之人盡成血水。目連尊者請示佛陀，這是什麼因緣？佛說：「過去許許多多年前，這裏有個大村莊，村中有一大魚池。在一個大好節日，村中的人，把池裏的魚，都捉來吃，其中有條大魚，亦被捉來殺了吃；那時有個小孩，從不吃魚肉的，爲了好玩，用棍子敲打大魚頭三下。」佛又對目連說：「那時的大魚，就是今時的琉璃王，小魚就是現在他的軍隊，村莊的人士，就是現在被他們屠殺的釋迦族。那個雖然沒吃魚肉，只是敲了魚頭三下的小孩就是我。我因未食魚肉，故未被殺，但是敲了三下魚頭，所以這時頭痛三天。」上述故事，就叫因果報應，自作還自受，他人代替不了。

由上述故事看來，甚至可以說，殺生食肉等於自己殺自己，不過是借他人之手而已。基於因果報應，自作自受的定律，所以素食者不遭殺劫。在歷史上我國漢、唐、宋、明各朝，承平之際，人民豐衣足食，都恣心快意，飲酒食肉，在大量殺生食肉之後，都遭到刀兵劫；可是大肆屠城之後，還有幸存者，這便是素食者不遭殺劫的事實證明。一九二七年，歐美蔬食會在英國倫敦舉辦第一次萬國茹素大會，參加的名流學者發心吃素的人，有好幾千。後來又在捷克國新羅瓦市召開第七次國際蔬食大會，這次參加的有中、德、法、美、奧等十三個國家。在這次大會中，英國的華爾緒博士，發表演說提到：「要想避免人類流血，便須從餐桌上做起。」這話意義深長。提倡大家素食，可消弭殺劫於無形。值得有心救世的政治家，深切體會。

四・素食不受惡報

殺生和食肉，這兩個都是惡業，有些調皮的人，總是想把責任推給他人。做屠夫的把這殺生罪推給食肉的人，每當宰豬之時，他就唸唸有詞：「豬呀豬呀你莫怪，你是人間一道菜，他不吃，我不宰，你向吃肉的人去討債。」可是食肉的人，却把罪過推給屠夫，說什麼：「他不賣，我不買，他不殺，我不食。」又說：「他不是專爲我而宰的。」等語，彼此互相推卸罪責。平心而論，都不能辭其咎。楞伽經說得好：「爲利殺衆生，因財網諸肉，二俱是惡業，死墮叫喚（地）獄，若無教想求，則無三淨肉，彼非無因有，是故不應食。」殺生的罪報，依華嚴經說，決定墮落地獄、畜生、餓鬼中，三塗受罪完了，轉生爲人，還得受二種惡報：一者短命，二者多病。（三塗是正報，人中是餘報。）

「六道輪廻苦，孫兒娶祖母，牛羊席上坐，六親鍋內煮。」這是唐時寒山大師看到一個俗家人娶媳婦，這新娘原是他的老祖母轉世，同時再看到坐在筵席上飲酒食肉的來賓，原是過去他家裏的牛馬，而鍋裏的豬羊魚肉，都是他們家的六親眷屬轉生。大師看了，可憐六道凡夫衆生，不明因果，顚倒妄爲，不禁悲從心起，號啕大哭，唱出了上面這個偈子。不信佛教的人，也許會巧辯，這是佛教徒勸人素食，假造出來的故事。可是事實勝於雄辯，我國歷史上人死爲畜的紀錄不少。最早的記載爲遠在佛教尚未傳入中國，西漢司馬遷的史記夏本紀記載：「帝堯之時，洪水滔天，堯求能治水者，皆曰鯀可。堯曰鯀負命毀族不可。四嶽請試之。鯀治水九年，功用不成，舜視鯀治水無狀，殛之於羽山以死。注云鯀死化爲黃羆。」此外齊公子彭生死變大豬報仇，見於左傳。趙王如意死化蒼犬，撲殺呂后以報仇，見諸漢史。宋士宗之母化爲鼈，宣騫之老母化爲黿，見於晉書。我國歷朝史家執筆記事，皆尚翔實，絕不虛誕，故我國之史書，號稱信史。又佛教的在家五戒弟子，尚不妄語，何況出家之人，怎敢妄語。由此可見儒佛兩家的聖賢之言，足堪信受。自當從速戒殺素食，若是大家都戒殺素食，就無「人死爲羊，羊死爲人」之因果循環，人世間也就永無「六親鍋內煮」之業報了。

第七章　食肉的因果報應

一・殺生食肉的果報—現身說法

(一) 廣化法師

殺生食肉，實是惡業，必當受報無疑也。只是受報要依據殺心的猛弱和殺法的殘忍，而各有遲速高下，不能一概而論。其次，殺生食肉後的懺悔修善，亦可以轉後報作現報，將重報折輕報。我爲了讓諸位切實了解殺生食肉惡報之事，不妨現身說法，將我食肉受報的經歷，略向諸位宣說。

我在十八歲的那年，爲了抗日救國，走出學校大門，毅然參加抗戰行列。幸蒙祖宗福德蔭庇，只當了半年上士文書，就升官了，從此在錢糧裏面打滾。到我退休出家之前，我在政軍兩界幹的大部分都是錢糧業務之類。俗諺說：「靠山吃山，靠水吃水。」我雖一文不苟取，然而近水樓台，究竟用起錢來便利多了。我有錢就飲酒食肉，造了不少殺業，清夜捫心，頗為不安，因此對金錢發生厭膩。後來出家，不願數鈔票，不願存錢，實由於此。

提起我飲酒吃肉的本領來，雖然不大，可亦不小。論酒量，一兩瓶高粱酒喝下去，臉不紅神不亂。吃魚吃肉，更是驚人，定坐下來，細嚼緩嚥的吃上兩小時，吃一二斤肥肉，不叫聲膩。我最喜歡吃鷄吃鴨，每餐都吃，怎樣吃也吃不厭。一年下來，我們究竟吃了多少鷄鴨衆生，沒有統計過。但是有一次，我們駐在浙江定海的溪口吞。初到之時，這村莊附近各地都可看到鷄鴨成羣。我每天都叫房東的大小姐為我們去買鷄鴨，交給勤務兵殺來吃，多則三五隻，少則一兩隻。三個月駐下來，這村莊周圍五里路以內的鷄鴨都給我們吃光了。有一天下午，起大北風，我又叫房東小姐去為我們買鷄，她說：「你還要吃！這裏五里內的鷄子、鴨子，都給你吃光了，你還要吃！」我說是她因為天氣冷，怕出門，不肯去買，故用這話來搪塞我。於是我自己帶了一個勤務兵，在駐地周圍四五里路，打了個轉，果然沒看到一隻鷄鴨。我才知道，我竟吃了這麼多的鷄鴨，不禁心裏一驚：我造的殺業太大了。民國四十二年，我信佛了，在看過佛經，明白因果之後，我急於勤求素食，冀贖前愆。據我所知，在軍中公開信佛，公開素食的，我是第一人。可是內心却大有「後悔莫及」之感。爲求一心懺悔及弘法利生，將功贖罪，乃決意出家。也許因此一念之善，我今生造的殺業，幸得將重報折輕報，將後報作現報了。

民國六十三年端午節的前兩天，我在南投蓮光蘭若的無量壽關中，上午八點鐘，開始拜淨土懺（這時我閉關已將近二年多了，拜淨土懺亦已拜了九個多月）。第一拜拜下去，就覺得身輕起來，向著西方前行，走了不到幾步，聽到身後有很多鷄鴨的叫聲，回頭看去，見成千上萬的鷄鴨分作三行，追隨著我，我沿著牠們的行列往後看，約二里多路長，才看到牠們的集合場。是在南投（古）車站的大廣場上，那裏還有牛、狗、豬等一大羣在排隊靜候上路呢！再反觀自己，我胸前抱著個鴨子，在叫喚那些衆生，一呼一應。我看到這種情形，心想牠們來找我算帳了，不禁一驚，如夢初醒。我繼續將淨土懺拜完之後，深怕我會生大病，卽敲鐘聲，喚來護關的劉文斌居士，把剛才的情形告訴他，請他好好照料我，在最近期間，不要遠離。怎知道，就在當晚於禪房裏，平地一跤，跌斷左腿。雖經延請中西名醫治療，花費信衆鉅額醫藥費，自己受盡無法言喻的痛苦，一切治療終歸無效，致成「跛脚法師」。這就是我殺生食肉的業報。我今向諸位原原本本的說了出來。雖然，我悔之已遲，但望大家以我此事，作爲殷鑑，各自警惕。早日戒殺茹素，免蹈覆轍。

最後我在勸告諸位發心戒殺吃素之外，再勸諸位還須修學淨土法門，念佛求生西方，才可究竟離苦得樂。「持齋」和「念佛」，合之則兩美；分之則兩損。這話怎講？若持齋不念佛，來生以夙世持齋故，必定大富大貴。古人說：「一日持齋，天下殺生無我分」，何況終身長齋，其福報豈可計量耶？有了福報，固屬好事，但是大富大貴人，十分之九不願修道，所謂「富貴學道難」。富貴中人，不知學道，他的生活必定趨向食、色、玩樂的享受。食則一席千命，色則倚翠偎紅，玩樂則歌舞嬉戲。凡是過著這種生活的人士，不難想像到他的將來，必定墮三惡道，這第三世他就受苦了。又若念佛之人不持齋，臨終多被業力所障，不得往生，流入八部鬼神中去。這卽是持齋和念佛，分之則兩損。如果能持齋又念佛，卽得現前身心康樂，當來往生西方，見佛聞法證三不退，終至圓滿無上菩提。其功德利益，廣大如法界，究竟若虛空，無量無邊，不可思議也。

(二) 煮雲法師

「素食」的定義，禮記檀弓篇註解「素」的意思爲：「凡物無飾曰素」。所以素的意義是質樸、不奢侈和不修飾。又「素」字通「蔬」，蔬是可吃的青菜，所以一般人對於只吃五穀、瓜果、蔬菜而不吃魚肉的叫做「素食」。

人，最寶貴的莫過於生命。我們愛惜自己的生命，也應該要愛惜別人的生命；我們不願別人傷害自己的生命，也就不應該去傷害別人的生命，這叫「不殺生」，是佛教的第一條戒。在野蠻的地方，隨便殺人是沒有過失的，隨時隨地都有被殺的可能，生命可以說一點保障都沒有。爲了維護社會的秩序，保障人類的生存，唯有靠大家共同遵守「不殺生」的戒條。但是人類祇是愛惜自己的生命，却不知所有的動物一樣有生命，一樣會害怕死亡，我們應該愛護牠，怎麼忍心故意傷害牠們？

地藏經上有這麼一段記載——在無數劫前，有佛名清淨蓮華目如來，那時有一阿羅漢，十分勤奮地弘揚佛法。有一女孩名叫光目，供養阿羅漢，阿羅漢就問她有何所求？女孩說：「我母親死亡之日，我做些功德，藉以解脫她的痛苦，我想知道現在我的母親在那裏？」阿羅漢憐憫她，於是入定尋知她母親墮入地獄受苦。羅漢問女孩：「妳母親生前犯了什麼重罪，以致死後受那麼大的苦報？」女孩說：「我母親生前最喜歡吃魚鼈，更喜歡吃牠們的卵，因爲這樣，殺了無數的生命。」「慈悲的尊者啊！請告訴我，要如何做才能解救我母親出苦？」阿羅漢就教她誠懇地稱誦清淨蓮華目如來的名號，並雕塑佛像，這樣可使存、亡獲益。從這則故事，可以知道殺生的罪孽是多麼的重。所以只要我們吃素，不要去殺害衆生命，就會有福報。也唯有吃素念佛，往生極樂世界才比較容易。

過去有一個員外，命伙計下鄉去收田租。一般說來佃農的生活都很貧苦，因爲辛苦耕種所得的收穫大部分要繳給佃主。但是，如果對前來收租的人客氣一點，就可以緩繳或少繳一點。因此，當收租的伙計來到時，佃農們都竭力奉承，留他住宿，預定明天殺鷄請他。當天晚上伙計睡覺時，却聽到講話的聲音：「你們兄弟姊妹今後要互相照顧，自己去找食物吃，明天主人就要把我殺來請客了。」這些話就好像父母親在臨死前交代子女一樣，聽了令人心酸。伙計覺得很奇怪，這房間裏明明只有我一個人睡，聲音到底由何處來呢？找了老半天，終於在床下發現了一窩鷄。

哦！伙計明白了，一定是主人家明天準備殺鷄來請他。

第二天一早，主人果然來抓鷄，他聽到母鷄驚恐的啼叫聲，趕快跑出來阻擋，並問佃農抓鷄做什麼？佃農說：「請你啊！」伙計說：「不要殺！不要殺！我吃素啊！」佃農不信說：「我從來就沒聽說過你吃素。」伙計說：「有啦！我吃花齋，即使你殺了我也不吃。」佃農的生活清苦，原本就很節省，既然伙計不吃也就不殺了。吃過飯伙計就要上船回去了，當船要開時，忽然風雨大作，船身搖晃得厲害。不久就有一人出來喊著：「我們這裏面到底是誰吃假齋？現菩薩顯靈，使得風雨大作，船隻無法行駛。」伙計不忍爲了他一個人而使全船的人都無法前進。於是很誠實的說：「是我吃假齋，我騙老農說我吃素。」船上的人就趕他下船，果然他一下船風雨停歇，於是船就安然行駛了。

但是當船行駛到江中心時，風雨交加，把船打翻，無一人僥倖生存。伙計由於救母鷄一命，騙說自己吃素而沒能上船，却因此撿回一條性命。各位雖然信佛很久，但叫你們吃素，相信有很多人會說沒有葷腥吃不下，甚至理直氣壯的說：「凡是背向天的動物，都是供人們食用的。」我問你們：「嬰孩在學爬行的時候，背也向天，是否也是供人們食用呢？」要知道鷄、鴨、魚…等任何動物，牠們也有牠們的眷屬、父母、子女，自己的子女捨不得殺，却忍心去殺別人的子女來吃，經典上說：「種種造業中，以殺生罪最重。」如果學佛學了幾十年還不肯素食，甚至不肯放生，那學佛應得的善果也就不大了。

董正之夫婦是一對非常虔誠的佛教徒，十幾年前我在臺北參加仁王護國法會，遇到董太太就約她來與我同桌，聊天中我問她是以何因緣使他們夫婦那麼早就吃素？因爲當時董先生已是立法委員，照理講應酬很多，何以會發心吃素呢？她說：「我剛從學校畢業就結婚了，當時還在銀行裏上班，有一天同事請客，我的舅舅也去了。舅舅曾在席間敍述他過去生的事，並把衣服脫掉給我們看，可說是現身說法。」

舅舅說：「我是豬來投胎的，而且做了好幾世的豬，其中的滋味，你們不會知道的。殺豬並不是一刀刺向喉嚨就死的，血滴完後，再用滾開的水燙皮以便拔毛，若有未拔乾淨的就用刀刮，此時豬尚未死。各位想想，拿刀在皮膚上刮毛痛不痛？毛刮乾淨了就打風至體內，以便剖腹取出內臟，這正如人沒打痲醉劑在開刀一樣。

內臟和骨頭取出來後，痛苦仍然未了；送到市場去賣，任由顧客選擇，或肥或瘦、或前腿、後腿的，隨著顧客的意思被慢慢地切成一塊塊。不僅如此，拿到家裏有的用煮，有的用炒，凡是把豬肉剁得愈碎或煮的時間愈長，豬就愈痛苦。更殘忍的是，把豬肉做成火腿，大把的鹽滲入皮肉內，再經過日晒、風吹，這種痛苦必須受到人們完全把火腿吃完爲止。還有一種苦是，當豬肉煮好之後放在桌子上，有的人嫌太油膩，就用嘴把上面一層油吹開，此時豬肉因受水紋震動，又燙又痛。如果一隻豬有二十人買去，就得等二十人全部吃完了，豬的痛苦才結束。我不知做了幾世的豬，數都數不清了；如今每當想到以前做豬時，仍會膽破心驚，本來閻羅王還要判我這一世再做豬，我一聽趕快拔腿就跑，判官很快的抓起一把豬毛往我背後丟來，不信妳們看看。」果然他背部有一撮豬毛。他接著又說：『你們不要以爲這一撮豬毛沒什麼了不起。要知道豬的毛孔很粗，每到夏天天氣熱，毛孔裏就會生蟲，想抓癢又不敢，因爲我不敢隨便脫衣服，這種滋味實在很難受，這就是做豬的果報。我的正報未了，所以現在雖爲人身，亦須受種種的苦。奉勸在座的年輕人知道殺業的果報後，就不要再吃衆生肉；現在吃多少，將來就要還多少。吃十隻就要還十次，吃二十隻就得還二十次。』董太太回去以後就將所見所聞告訴先生，董先生很有善根，聽完後就立卽表示，從今以後什麼肉都不吃了。因爲吃豬變豬，吃鷄變鷄，吃魚變魚。所以他們夫婦倆在二十幾歲時就開始吃素，一直到現在已六十幾歲了。顧雲禪師的戒肉食詩云：

千百年來盌裏羹，怨深似海恨難平；

欲知世上刀兵劫，但聽屠門夜半聲。

爲了維持社會的安寧，爲了消除過去世所累積的殺業，爲了避免將來往生時，被吾人今世所殺、所食之衆生藉機來擾亂吾人的神識，甚至於爲其牽引而墮入三惡道受苦。所以，奉勸各位要終身戒殺茹素，護生放生，並且多念佛。

二·純正的佛教素食觀

㈠　今生一直吃肉，死了到那裏去？

楞嚴經上說：「食肉之人，死墮惡道，受無量苦。」惡道指的就是地獄道、餓鬼道、畜牲道。因此，我們知道一個吃肉的人，他死了之後，想要馬上轉生爲人，是相當困難的。我們再看看八指頭陀的話——「池魚忽泣作人語，曰客曰客吾語汝，我亦曾作富家子，汝曾爲魚登我俎，今我爲魚塡汝肚。」說明了吃肉的人，墮入地獄道、餓鬼道之外，還要轉生爲各類畜生，以償還血肉債。因此，我們三餐所吃的肉，其實就是自己身上的肉！

㈡　自己不殺生，買別人殺好的來吃可以嗎？

人生不如意事十常八九，這是每一個人都能體會得到的。至於這些「不如意」的原因在那裏？就很少人去探索了！楞嚴經上說：「食肉之人，所求功德，悉不成就。」華嚴經上說：「忘失菩提心，修諸善法，是名魔業。」孟子也說：「惻隱之心，人皆有之。」佛家講：「無緣大慈，同體大悲。」動物和我們都是血肉之軀，由於我們的購買，便有人幫我們殺好，這種借刀殺人的間接殺生，使我們想求的功德都求不到，而造成家庭不平安、身體不健康、兒女不孝順、事業不順利⋯等，種種的不如意。

從另一方面說：吃肉對修學佛法，也會產生很大的障碍。大乘入楞伽經上說：「夫血肉者，衆仙所棄，羣聖不食⋯⋯夫食肉者，諸天遠離，口氣常臭⋯⋯肉非美好，肉不清淨，生諸罪惡，敗諸功德，諸仙聖人之所棄捨！」楞嚴經上也說：「食肉之人，諸天遠離，衆生怖畏！」因此，一個吃肉的人，是得不到天龍八部的護持的，所以他的道業很難有所成就，人生的不如意事，也自然的增多了！

(三) 三淨肉可以吃嗎？

前面已經說到殺生食肉的果報，其中當然包括「三淨肉」。爲了讓大家有個具體的了解，我們還是從經典上，去追尋三淨肉的本末原委吧！涅槃經內迦葉問佛：「何故先聽食三種淨肉，乃至九種淨肉？」佛說：「是因事漸次而制，當知即是現斷肉義。」以聲聞乘來說，佛涅槃前聽許吃三淨肉，佛涅槃後，便是一切肉不可食。以菩薩乘而言，佛涅槃前後，一切肉皆不可食用。如今釋迦牟尼佛已涅槃二千多年了，那有允許他的弟子吃三淨肉的道理？這可在楞伽經中的一段經文，得到強而有力的證明——佛說：「未來之世，有愚癡人，妄說毘尼（戒律），壞亂正法，誹謗於我，言聽食肉，亦自曾食。」又說：「大慧！我於諸處，說遮十種，許三種者，是漸禁斷，令其修學。」這種情形，是佛還在世的時候，爲引度衆生，而採用「漸進」的方式，讓衆生修學佛法。當他要離開這娑婆世界的時候，又把三淨肉的事情交代得非常明確，他說：「今此經中，自死他殺，凡是肉者，一切悉斷。」告訴修學佛法的弟子「凡是肉者，一切悉斷」。假如還有人不明白佛陀的旨意，而說三淨肉可以吃，那他要背什麼樣的因果呢？佛說：「若有癡人，謗言如來，聽人食肉，當知是人，惡業所纒，必當永墮不饒益處。」因此，不但我們自己不能吃三淨肉，也要告訴別人三淨肉不能吃。

㈣　肉邊菜和蛋能不能吃？

既然一切肉都不能吃，那麼在交際應酬中，不吃肉，只吃肉邊的菜——肉邊菜，行嗎？涅槃經內迦葉問佛說：「若乞食時，得雜肉食，云何得食？應清淨法。」佛說：「當以水洗，令與肉別，然後乃食。」由這段開示可知，肉邊菜是需要將肉和菜分開，再把菜洗得乾乾淨淨的，才能食用。但這是僧人乞食的時候，在客觀環境上，一點變更的方法都沒有的情況下如此。而今素食館林立，素食烹調技術愈來愈好的情況下，「肉邊菜」實在是沒有存在的理由。況且吃素吃得愈清淨，佛菩薩及龍天聖衆愈歡喜，加持力量也就愈大！

現在的蛋，沒有經過受精，也沒有孵化，爲了營養，吃了應該沒關係吧？此言大錯，顯識論講：「一切卵不可食。」因爲生命的形態有四種，卽胎生、卵生、濕生、化生。而蛋是屬於卵生的有情生，只要有蛋這個形體在，便有一個具體而微的生命存在，所謂「有情之心識，靈妙不可思議。」因此，吃了一個蛋，就等於殺了一個衆生的生命。這樣日積月累，所造的殺業也是非常嚴重的。

(五) 葱、蒜、韮、洋葱……等五辛（葷）能吃嗎？

楞嚴經講：「諸衆生求三摩提，當斷世間五種辛食。此五種辛，熟食發淫，生啖增恚。」可見五辛的穢濁之氣，可以助發人們的欲心，而其辛烈的味道，又會增長人們的瞋怒。欲念和瞋怒，覆蓋了人們優美的德行，更會障碍修學佛法的聖道，使人們永遠在生死中輪廻，不得出離。又說：「如是世間食辛之人，縱能宣說十二部經，十方天仙嫌其臭穢，咸皆遠離。」食用五辛的過患，除了增長淫念與瞋怒外，便是他口中散發出來的臭穢之氣，使得護持佛法的天龍八部一個個的離去，所以這個人的福德便一天天的消滅，道業也沒有辦法成就，不如意事就一天一天的增多了。所以五辛食與不食實在是不可等閒視之。

三・步向吉祥平安之道

世界上各種宗教，都是追求世界和平的；其教義，對於那些包藏著私心及其他罪過根源的混雜心靈，都認爲應予以匡正；其目的，則在開展人性的光明面——民吾同胞，物吾與也——的平等博愛。這種愛的擴展，是沒有遠近親疏的，是慈及物類的。

佛家講慈悲，耶教講博愛，便是要喚醒我們本具的聖潔人性。動物和我們都是血肉之軀，牠們也有親情，也有家庭、六親眷屬；對於人類，也有莫大的貢獻。例如牛、羊、馬、象、駱駝……，供給我們牛奶、羊奶、毛衣、皮鞋、皮帶…等，解決我們食衣的問題外；也奉獻其體力於人類的載運、交通、工作…等不同的勞務。難能可貴的是牠們的性情溫馴、體積龐大、力量無窮。更不可思議的是，牠們從不傷害其他的物類以爲食物，只吃山林的牧草、稻草、或其他植物性的食物。牠們有這樣碩壯的身軀，有那麼好的體力、皮毛、奶汁，眞令人類猜不透。牠們的營養從那裏來？

素食對動物有那麼多的好處，對人類是不是也如此呢？大戴禮記講：「食肉，勇敢而悍；食谷（穀），智慧而巧。」這就關係到人性、獸性的消長問題。由這段記載及生活上的實際經驗，我們知道吃肉的人，會承續到動物的獸性；而吃素的人，則會增長其本具的人性。人性增長了，當然易於調敎，懂得孝順。因此，家中有小孩的人，對於食物與性格的關係，應該花下心力，好好的研究一下，如何從飲食上的改變、控制，而養育出一個聰明、智慧、靈巧的小孩來。

古德說：「積金遺於子孫，子孫未必能守；積書遺於子孫，子孫未必能讀；不如積陰德於冥冥中，此乃萬世傳家之寶訓。」而這第一大陰功，就是戒殺放生。我們只要從餐桌上做起——不再食肉，便可把「獸性」逐出門外，又可積果無量的陰德，回向給祖先，庇蔭及後代，眞是一舉數得。

史有明訓——古今多少世家，無非積德。本書已將素食與肉食的利弊得失（積德、造業），以客觀而明確的立場，從醫學的價値，科學的研究，生理的結構，臨床的實驗，宗教的觀點……，旁徵博引，條分縷析，所得的結論是——素食——可以獲得「身體健康」、「家庭平安」、「事業順利」、「兒女孝順」、「福慧增長」、「德蔭子孫」……的無盡功德。朋友！這些善利您需要嗎？您想獲得嗎？百聞不如一試，只要您放下屠刀，力行素食，健康長壽、子孝孫賢、快樂光明便永伴著您。祝福您早日得到素食的無邊勝福！

第八章　西方人的戒殺護生

一·四隻脚的朋友寃枉死了

福來歇爾著
男青譯

英國「法輪」月刊登載福來歇爾氏 M. R. Z. Freshel 的耶穌聖誕節講演，痛說人們不應該喫一切禽獸。著者是耶教徒，他的思想是這樣：「我們耶教徒還應該喫肉嗎！」所以將它譯出來，給一切人看看。

時候是迅速到來了。不但耶穌教的國家，就是全世界，將一致慶祝這稱爲「克立思默思」Christmas 的和平季節。在一切國家，在一切宗教，這是一箇以仁愛對「他」的時候。

放大你心的邊際，放大你愛的疆域。使你的仁愛不祇包含著你稱爲「你的同胞」的人，並且要包含著你較小的弟兄——一切動物。要知道牠們是值得被考慮的，牠們的心不但眞切而且甜蜜；牠們是被有些仁慈人稱作「四隻脚的朋友」的。

可是，被稱爲四隻脚的朋友——動物，在這箇「和平在世界」的季節中，爲了要滿足那些耶教國家中的饕餮之流的胃口，竟遭受了悽慘的蹂躪。牠們用淒厲的呼喊，以表示牠們對慘死的反抗。在這個聖誕的節日，牠們被認爲最合於時令，被迫忍受著死刑，爲的是要使牠們埋葬在一般貪圖口味的紳士太太的肚腹裏。但是這些紳士太太們，若親眼看見了使這些死物馴良地屈伏在盤碗中的程序，恐怕沒有一箇不頭痛心顫的吧！這些手續，我們以鳥類來做說明吧！其中包括：

㈠、用機器塡餵鳥類，使牠不自然的肥胖。

㈡、閹割鳥的生殖器。

㈢、搬運時擠塞在鐵籠內，使鳥煩渴欲死。

㈣、將鵝的掌釘在地板上，使牠不活動而加肥。

㈤、用小刀在鳥類的上齶戳一小洞，倒掛起來，使牠血流完而死。

你們想想，這些方法是何等的殘酷，何等的卑劣！

火雞！鵝！被殷切的等待著。最後這些曾受過刑罰的死屍，離開了刀俎鼎鑊而登於筵席。那些沒頭沒腦的紳士太太們居然在這時候唱起讚美歌來：「主呀，賜我們這箇美食，我們爲你服務，爲基督的緣故，阿門！」

但是我（筆者）的讚美歌是這樣的：「麵包的後面是雪白的麥粉，麥粉的後面是磨，磨的後面是田、雨、太陽和聖父的意志。」

請你們拿仁愛的心，坦白的意思，自己問問自己；當你們準備你們的聖誕酒筵，或者正在狂呑大嚼的時候，在這一切的後面，能够尋得出「聖父的意志」嗎？他不是在他的聖經中有明白的教訓嗎？「你們看呀，我給予你們一切生籽的蔬菜，給予你們一切結果的樹木，偏布在地面各處，這些是你們應該作爲食物的呀。」他又在十誡裏面規定「你不應該殺」。

唉！那些「很高尚地」埋葬在紳士太太們肚腹裏面的四隻脚的朋友，是寃枉死了！

二・哀痛的故事

——美國蔬食月刊 小女學生 Nahmon Haresh 作 男青 譯

有一天，早上醒來，一種溫柔的聲音鑽入我的耳鼓，好像是小牛的叫聲。我從牀上爬起，急跳下樓，看見廚房裏果然立著一隻可愛的小牛，口內嗚嗚的叫著，眼睛含著驚怖的光。我撫摩牠的小頭，把手指伸進牠的口，牠用舌輕輕的來舐我。唉！何等的可愛呀！

午飯時候，我從學堂囘家，我的哥哥迎著我叫道：「妹妹，你看這小牛眞可愛呀！」我像箭一般的射入廚房裏，忙抱著牠，當作我的小友。

父親也囘家午餐了，母親笑著說道：「好運氣！我們的老母牛生下了一隻肥胖的小牛，下星期四，我們把牠殺了，作很好的童牛肉來過節，豈不是好。童牛肉是你喜歡喫的。」

我聽了驚異得不得了，喊道：「媽媽，你眞的要殺牠嗎？」母親道：「你這孩子，懂得甚麼！你大起來，多得些智慧，自然不說這種廢話了。」

我這夜老是睡不著，翻來覆去的想：「這小牛是爲甚麼出生的？又爲甚麼要被殺被喫呢？殺牠是甚麼理由？牠曾犯罪嗎？是誰給我母親殺牛的權力呢？她不是常教我要仁慈愛物嗎？殘暴是不許的，那麼又怎可以殺呢？創造一切的造物主呀！我母親和這小牛不是同在你的手中嗎？你旣給牛以生命，怎麼又給我母親以殺牛的念頭呢？我求祢（造物主）平反這件酷刑，拏慈悲裝入我母親的心中。」

日子很快的過去，小牛漸漸的肥美起來，牠常常作我的伴侶。我暗暗的憐憫牠，我有時笑，有時哭，眞的這可愛的小牛要被殺嗎？不，不，我想這是絕不會的。因爲，我不是已經哀求過那全知全能的造物主了嗎？

那可怕的星期四來了！太陽高高的昇上了，又低低的落下了。我想小牛是不會被殺了，我想這是不可能的，天使一定會來救牠，鋼刀碰著牠的頸項，頸項會變得比鋼還硬，刀定會折斷的。因爲我已經哀求過全知全能的造物主了。

可是，天使沒有來，刀也沒有折斷，這可愛、無罪的小牛，終於被殺流血死了。

從這天起，我就決心作了一箇蔬食者。

三·這樣的世界，我看見了

男青譯

德國青年 Herbet Gezork 曾環遊世界，作成日記，題名曰「這樣的世界，我看見了」。內有參觀美國詩家谷市司威夫大屠場記一篇，寫得怵目驚心，淋漓盡致，凡是喫肉不怕血腥氣的人們值得一讀，故特爲介紹。

從門外向內遠望，有許多柵欄排列著，悲鳴的獸類在裏邊等死。我們進門，先走入屠宰部。入口處掛著佈告牌，警告神經衰弱的來賓不要進入。但我們都是好奇的，所以就進入這痛苦流血的地獄了。

一個身軀龐大的黑種人站在中間，周圍繞著輪轉不停的皮帶，皮帶上滿掛著一隻腳倒吊起來的許多豬。輪轉的皮帶經過這黑人屠夫的面前，他用快刀戳那當面的一隻豬的喉部；接著第二隻滾上來，照樣再戳。這樣的輪流不息，在一點鐘以內，七百隻豬就被殺死了。血的腥臭，豬的慘呼，是多麼的可怖呀！一位站在我旁邊的太太，面色鐵青，暈倒在鐵欄上，險些跌入下面的血池裏去。我拉她回來，她不肯再前進，儘喊道：「離開這裏吧！離開這裏吧！」

我們幾位鼓著勇氣，繼續前進到旁的屠宰場——羊和牛的屠宰場——那時我的思緒只是重複地想著：「唉！我們的文明到底是建築在甚麼基礎上面的呀？」但是，我們的嚮導對我們保證，這種屠殺方法是最理想、最人道的方法，尤其是最快速和最合理的方法。

我們再繼續前進，經過各部，我們可以說是緊跟著那些滾向那黑人的快刀的苦豬一同前進。牠們是在跟著輪轉皮帶同滾一樣的前進，牠們的身軀分而又分，牠們失去腿了，其次失去牠們的中段了……。

最後我們進了薰肉間，裏邊掛著數千隻還含著血水的肉腿，空氣中充滿著一種使人作嘔的味兒。

在我們巡遊終了的當兒，嚮導傲然地把一本小册子塞在我們的手裏，我們這時可以讀白紙上面的黑字了。三百萬隻牛，八百萬隻豬，五百萬隻羊，是每年在這裏被屠殺，作臘腸和罐頭食物的。換句話說，是每日五萬七千隻，每分鐘一百二十隻。

眞正可驚呀！但是我不明白，自命爲文明人類的我們，是感覺光榮呢？還是羞恥呢？

四·西賢護生軼事

念玆錄

偶閱中華書局出版周白棣君編譯之「歐美逸話」，奇情逸趣，可敬可喜，不一而足。下面四則，則爲有關護生者，值得介紹，以見西方偉人東方道德之一斑。特節錄如次。

㈠ 林肯救豬

美國大總統亞伯拉罕·林肯以人道主義，爲解放黑奴而發動南北戰爭，這是人類史上不朽的偉業，大家沒有不知道的。但林肯不僅仁民，且也愛物。他從小連看見傷殘蟋蟀之脚，亦會因同情不忍而爲之流淚。與友人一起遊玩，勸止捉弄動物以取樂的，一定是他。他幼時如此，成年後亦復如此。下述一事便是他成年時代的事。

有一天他坐馬車馳驅郊外，見有一隻豬陷在泥淖中不能自拔，十分窘迫，愈掙扎而陷入愈深。林肯注目了一會兒，想去助那豬一臂之力，但忽想起自己身上是穿的一件才換的新衣，於是不顧豬的哀鳴，鞭馬逕去了。

可是，那可憐的豬的狀態，却如幻象一般追上他來，他分明看到剛才清清楚楚的一幕。他再也抑制不住他同情之念了。其實這時他已很快的走遠了二哩多路，但爲去救那可憐的豬，他馬上勒轉馬頭，折回原路，果將那豬救了出來。但他那套新衣服却滿塗泥濘，髒得不可入目。他便洗濯於附近的小河，再坐馬車而去。

然而他並不自以爲此是善事，他認爲這一舉措，談不到慈善，實因看不過豬的苦惱，自己心中難過。爲了解除自己心中難過起見，情愿犧牲新衣，而這樣作了。他始終以這種謙虛的心情，解釋他的任何善事，而絕不自誇。

(二) 約翰生與野兎

以「拉塞拉傳」Rasselas 而著名的薩木爾•約翰生博士Samuel Johnson 1709-1784，是英國首作辭書的人。他曾旅行北威爾斯地方。有一次到米鐸爾湯大佐家，約莫逗留了兩天。一天，園丁在馬鈴薯田裏，捉得一隻野兔，拏到主人的面前。主人看了，當即要他交給厨子。

博士聽到此事，要他們把這兔子交給他抱一下。他們果然依他的要求。誰知博士立刻走到窗前，推開窗戶，放了兔子，一面說道：「快快逃命吧！」

大佐驚道：「你作甚麼——這樣，晚餐美妙的珍味豈不是沒有了嗎？」

野兔的救命人答道：「那是很好的！你們盡了款待的眞心，甚麼野兔的美味，一點不必可惜的。況且這不是家兔，乃是偶爾跑進你家裏來的。打那投入懷中來的窮鳥的獵人，不可不說他是殘忍無情的野蠻人！」

(三) 大詩人與小鳥

美國大詩人郎匪羅 Longfellow 1807-1882 幼年因受他父親喜歡打獵的影響，也要求父親買了一支小槍，練習放槍。後來練得技術很好了，於是天天到曠野去。一次看見一隻紅襟鳥正在樹蔭宛轉嬌啼，他就瞄準了一彈打去。打個正著，鳥落地了。他起初高興地稱讚自己技術好：「打得巧！」但拾起那打落的鳥看時，得意的臉忽轉憂戚，而且眼中流出眼淚來了。

「唉！我作了殘忍的事了！只要我不打牠，也許牠現在還在唱著快樂的歌呢！這小鳥也許有父親有母親有兄弟姊妹吧？我作了殘忍的事了！」

他這樣悲傷地抱了紅襟鳥，沒精打采背了小槍，回到家裏，於是把死鳥放在小盒子裏，動手把牠埋葬在庭前牆隅。他又作了幾首詩，以抒他的悲感。這些詩是他作詩的第一步，從此他不再背槍了。

(四) 牛頓的雅量

英國大科學家牛頓 Isaac Newton 1642-1727 見蘋果落地而發現地心吸力，這有名的故事是人人知道的。這位大科學家並不像普通學者一般度量狹隘，他對於研究雖極其細心，而對人對物却極慈愛。下面一事足顯他對於生物的寬大。

他於晚年猶從事研究一個大問題，欲於未死之前修改一番而發表，那原稿大半業已成功了。一天他一隻心愛的小狗伏在他身旁看他實驗，不知爲了甚麼受了一驚，急忙跳出，無意中把前面點著的酒精燈打翻，引起火來。那時燈旁正好堆積著許多稿子，一瞬之間便被燒個精光。牛頓費了多年心血的研究頃刻化爲烏有，心中的懊喪可想而知。但他看看那小狗，看看那燒餘的殘迹，只是嘆口氣道：「小狗無心闖了禍，眞是沒有辦法！」絲毫都不加以責打，其度量實在是很大的。

目錄

A 47	我的菩提路	圓香等著	80 元
A 48	大乘起信論新釋	豐子愷譯	110 元
A 49	佛陀的人格與教育	陳柏達著	70 元
A 50	禪宗源流與修持法	月溪禪師著	70 元
A 53	佛學綱要	蔣維喬著	70 元
A 54	弘一大師文鈔	李芳遠編	70 元
A 56	金剛經今譯	陳高昂譯	100 元
A 57	廬山煙雨浙江潮	祥雲法師著	100 元
A 59	帶業往生與消業往生	祥雲法師著	100 元
A 61	歐美的佛教	鄭金德著	100 元
A 64	力的界限	東昇著	80 元
A 65	禪定天眼通之實驗（二册）	馮馮著	320 元
A 66	認淸自殺的眞相	天華編輯部	70 元
A 70	新編素食健康長壽	天華編輯部	70 元
A 71	太空科學核子物理學與佛理的印證（二册）	馮馮著	300 元
A 72	天眼慧眼法眼的追尋（三册）	馮馮著	500 元
A 73	生於憂患・死於安樂（臨終救度法）	許志明著	90 元
A 74	健康長壽釋疑（吃肉的危險）	馮馮著	60 元
A 75	巴西來的小男孩	馮馮著	150 元

F 8	天華健康食譜	天華製作	500 元

天華有聲出版

G 1	四字四音阿彌陀佛	天華發行	55 元
G 2	A面：晚禱曲・B面：美麗的蓮花	馮馮詞曲	120 元
G 3	A面：誰來拭乾我的悲淚 B面：地藏菩薩摩訶薩	馮馮詞曲	120 元
G 4	觀音菩薩聖號唱頌曲（雙面）	馮馮詞曲	120 元

本公司圖書定價以當月天華月刊目錄爲準（免費贈閱・歡迎索取）

佛學叢刊目錄

			平　裝	精　裝
B 1	佛典菁華錄	蔡淡廬編	160 元	200 元
B 2	參學瑣談	眞華法師著	220 元	260 元
B 4	虛雲和尚年譜	岑學呂編	180 元	220 元
B 5	太虛大師年譜	印順法師編	160 元	200 元
B 6	弘一大師年譜	林子青著	100 元	140 元
B 7	唯識史觀及其哲學	法舫法師著	140 元	190 元
B 8	大藏會閱（四冊）	會性法師著	缺	1500 元
B 9	禪與藝術	劉大悲譯	220 元	270 元
B10	佛教各宗大綱	黃懺華著	260 元	310 元
B11	禪的訓練	徐進夫譯	220 元	270 元
B12	印度佛學思想概論	呂澂著	200 元	260 元
B13	中國佛學思想概論	呂澂著	220 元	270 元
B14	觀世音菩薩本事	後藤大用著	170 元	220 元
B15	西藏度亡經	徐進夫譯	220 元	270 元
B16	標註碧巖錄	古芳禪師註	140 元	180 元
B17	六祖壇經箋註	丁福保註	120 元	160 元
B18	中國佛教發展史（三冊）	中村元等著	800 元	缺
B19	空虛的雲	馮馮著	1000 元	1180 元
B21	佛典漢譯之研究	王文顏著	300 元	350 元
B22	印度思想史與佛教史述要	服部正明 長尾雅人 著	80 元	120 元
B23	般若筆譚	許志明著	220 元	270 元
C 2	佛學大辭典（四冊）	丁福保編		1200 元

特價書目（七折優待）

		定價	特價
弘一大師音樂遺集	陳慧劍編	120元	84元
佛門朝暮課誦	天華初版	70元	49元
釋氏疑年錄	陳援菴著	250元	175元
人學	宋巴特著	60元	42元
新哲學論叢	張東蓀著	200元	140元
中國文學批評論集	張健著	120元	84元
黃賓虹的繪畫思想	孫旗編	140元	98元

郵購未滿 300 元請另加掛號費14元　　（調價恕不另通知）

諦觀全集目錄　　演培法師　著

		平裝	精裝
E 1	佛說十善業道經講記 佛說八大人覺經講記 >合訂本	160 元	200 元
E 2	大寶積妙慧童女經講記	100 元	140 元
E 3	金剛般若波羅密經講記 金剛經概要 金光明經空品講記 >合訂本	230 元	270 元
E 4	維摩詰所說經講記（二冊）	400 元	480 元
E 6	般若波羅密多心經講記 心經十二講 >合訂本	160 元	210 元
E 7	解深密經語體釋	340 元	380 元
E 8	華嚴經普賢行願品講記	190 元	230 元
E 9	觀世音菩薩普門品講記	110 元	150 元
E10	梵網經菩薩戒本講記 附：八關齋戒十講（二冊）	460 元	540 元
E12	俱舍論頌講記（三冊）	750 元	870 元
E15	唯識二十頌講記 八識規矩頌講記 >合訂本	220 元	260 元
E16	入中論頌講記	300 元	340 元
E17	成唯識論講記（五冊）	1250 元	1450 元
E22	異部宗輪論語體釋	100 元	140 元
E23	勸發菩提心文講記	140 元	190 元
E24	大乘佛敎思想論	270 元	310 元
E25	小乘佛敎思想論	310 元	350 元
E26	天臺性具思想論	190 元	230 元
E27	佛敎的緣起觀	150 元	190 元
E28	唯識法相及其思想演變	150 元	190 元
E29	印度部派佛敎思想觀 人間佛陀 >合訂本	260 元	300 元
E30	南天遊化	270 元	310 元
E31	法雨徧施集	290 元	330 元
E32	獅城演說集	260 元	300 元
E33	慶悼雜說集（二冊）	500 元	580 元

全集共 34 冊總價平裝 7600 元精裝 8960 元

新編 素食·健康·長壽

瓔珞叢刊
A0070

編集者：天華編輯部

郵撥帳號：0111208-1號

發行者：李雲鵬
出版者：天華出版事業股份有限公司
地　址：台北市士林區忠誠路二段168號1-2樓
電　話：(02)873-6629(六線)
傳　眞：886-2-8736709
印刷者：立辰美術印刷有限公司
行政院新聞局版臺業字第1679號
中華民國75年6月天華初版•82年9月101刷

HEAVENLY LOTUS PUBLISHING CO., LTD.
1-2F, 168 Chungcheng Rd., Sec. 2 Shihlin, Taipei R.O.C.
TEL:886-2-8736629　　FAX:886-2-8736709
ISBN 957-9397-20-1

調價恕不另通知・未滿三〇〇元者另加掛號費十四元

電話更改或不通時，請撥查號臺：104(北市)或105(外縣市)

回向偈

印書功德殊勝行
無邊勝福皆回向
普願沈溺諸有情
速往無量光佛剎